COLEÇÃO PRIMEIROS NÚMEROS

LIVRO 2

Alfabetização Matemática

ENSINO FUNDAMENTAL

LUIZ BARCO

Professor de Matemática de Escola Estadual Experimental de Ensino Fundamental da rede pública de São Paulo. Professor de Matemática da rede particular de São Paulo. Professor de Fundamentos de Matemática Elementar, para formação de professores. Professor de Fundamentos Matemáticos da Comunicação. Licenciatura, Bacharelado e Mestrado em Matemática, pela Universidade de São Paulo-USP. Doutorado em Ciências da Comunicação, pela Universidade de São Paulo-USP. Pós-Doutorado em Métodos e Técnicas de Ensino, pela Escola de Comunicação e Artes da Universidade de São Paulo, ECA-USP.

VALDEMAR VELLO

Professor de Matemática e Desenho Geométrico no Ensino Fundamental, nas redes de escolas públicas e particulares de São Paulo. Professor de Fundamentos de Educação Matemática e Etnomatemática, para formação de professores do Ensino Fundamental. Professor especialista para a formação de profissionais em Produção Editorial. Coordenador e autor de projetos didáticos de Matemática, Desenho e Artes para o Ensino Fundamental. Licenciatura em Matemática, Desenho e Física pela Faculdade de Filosofia, Ciências e Letras Oswaldo Cruz, São Paulo.

1ª edição – São Paulo – 2008

Companhia Editora Nacional

Coleção Primeiros Números

© Companhia Editora Nacional, 2008

Diretor editorial	Antonio Nicolau Youssef
Gerente editorial	Víctor Barrionuevo
Editora	Mizue Jyo
Assistentes editoriais	Cira Maria Sanches
	Luiza Torres Sato
Coordenador de preparação e revisão de texto	Otacilio Palareti
Preparadores e revisores	Berenice Baeder
	Nanci Valença Hernandes
	Sérgio Limolli
Produtora editorial	Lisete Rotenberg Levinbook
Assistente de produção editorial	Antonio Tadeu Damiani
Coordenadora de iconografia	Maria do Céu Pires Passuello
Ilustrações	Cibele Queiroz
	Osvaldo S. Sequetin
	Sidney Meireles
Capa e projeto gráfico	Ulhôa Cintra Comunicação Visual e Arquitetura
Editoração eletrônica	Conexão editorial

Dados Internacionais de Catalogação na Publicação (CIP)
(Câmara Brasileira do Livro, SP, Brasil)

```
Barco, Luiz
    Alfabetização matemática / Luiz Barco,
Valdemar Vello. -- 1. ed. -- São Paulo : Companhia
Editora Nacional, 2008. -- (Coleção primeiros números)

    ISBN 978-85-04-01394-8 (v.1)
    ISBN 978-85-04-01395-5 (v.2)

    1. Alfabetização (Ensino Fundamental)
    2. Matemática (Ensino Fundamental)
I. Vello, Valdemar. II. Título.
III. Série.

08-07896                                CDD-372.41
                                            -372.7
```

Índices para catálogo sistemático:

1. Alfabetização : Ensino Fundamental 372.41
2. Matemática : Ensino Fundamental 372.7

CTP, Impressão e Acabamento - IBEP Gráfica

1ª edição – São Paulo – 2008
Todos os direitos reservados

Companhia Editora Nacional

Av. Alexandre Mackenzie, 619 – Jaguaré
São Paulo – SP – 05322-000 – Brasil
Tel.: (11) 2799-7799
www.ibep-nacional.com.br
editoras@ibep-nacional.com.br

APRESENTAÇÃO

ESTE ANO VOCÊS VÃO PARTICIPAR DAS HISTÓRIAS DO VOVÔ LUIZ E APRENDER OUTRAS IDEIAS INTERESSANTES EM MATEMÁTICA EM COMPANHIA DA PROFESSORA LUCI E DO PROFESSOR BRUNO.

MAIS UMA VEZ, DESEJAMOS QUE VOCÊ TENHA UM ÓTIMO APROVEITAMENTO.

OS AUTORES

VAMOS CONTINUAR PARTICIPANDO DAS HISTÓRIAS E DAS ATIVIDADES PARA AJUDAR VOCÊ A APRENDER MATEMÁTICA, COM INTERESSE E MUITA ALEGRIA!

Cibele Queiroz

SUMÁRIO

UNIDADE 1
NOVAS HISTÓRIAS COM NÚMEROS E FORMAS

1. Casa de brinquedos e coleções 8
2. Sequências de figuras e números 10
3. Formas geométricas na folha de papel 18
4. Curiosidade visual! 22
5. Primeiras ideias de adição e subtração 23
6. Matemática e arte Malha de pontos 33
7. Um novo tangram Roda, roda, roda... 36
8. Adição e subtração Problemas têm solução! 38
9. O jogo do Cobre números 42

UNIDADE 2
ALICE CONTA SEGREDOS DA MATEMÁTICA

1. Quero chegar a 100! Vamos contar! 46
2. Ábaco com unidades, dezenas e centenas 55
3. Blocos e pirâmides 61
4. Curiosidades numéricas 65
5. Simetria com dobradura e recorte 67
6. Primeiras ideias de multiplicação e divisão 70
7. Matemática e arte Geometria na escultura 84
8. Multiplicação e divisão Problemas têm solução! 86

UNIDADE 3
NOVOS DESAFIOS... TABELAS, OPERAÇÕES E GEOMETRIA

1. Tabelas e gráficos para todo gosto! 92

2. Adicionar e subtrair Reagrupar e desagrupar 97

3. Cilindro, cone e esfera... Deixa rolar! 101

4. Curiosidade visual! 105

5. Matemática e arte Mandalas com sucata & etc. ... 106

6. Número "quebrado" existe, sim! 109

7. As quatro operações Problemas têm solução! 114

UNIDADE 4
A "CHAVE" DO TAMANHO – VAMOS MEDIR?

1. Perguntas curiosas sobre comprimentos 120

2. Vamos ladrilhar? Qual é a área? 127

3. Volume e capacidade de "mãos dadas" 132

4. Pesagem! Qual é a carga? 138

5. Tem hora pra tudo! Vamos jogar? 141

6. Curiosidade visual! 144

7. Matemática e arte A pintura indígena 145

GLOSSÁRIO 151

INDICAÇÃO DE LEITURAS COMPLEMENTARES 160

REFERÊNCIAS BIBLIOGRÁFICAS 161

MATERIAL COMPLEMENTAR 162

UNIDADE 1

Novas histórias com números e formas

Vovó Maria tem uma coleção de bonecos muito bem organizada. Atualmente, vovô Luiz está arrumando sua valiosa coleção de moedas antigas. Dudu só pensa em conseguir mais umas figurinhas do álbum que ele está montando.

A Helena tem uma bela coleção de peixinhos dourados, mas esses são somente para olhar e divertir-se na hora de alimentá-los. Eles parecem conhecê-la, pois todos se movimentam quando ela se aproxima do aquário. A Giovana, por sua vez, começou a colecionar cachorrinhos de porcelana, aqueles bem pequeninos, tipo bibelô, que ela expõe na penteadeira. Mas o que Giovana e Helena gostam mesmo é de brincar com a coleção de bonecos da vovó.

Neste livro vamos brincar com as coleções de diversas maneiras. A Giovana, por exemplo, acaba de arrumar a coleção de bonecos da vovó, segundo as regiões que eles representam no Brasil.

Ilustrações: Gilberto Valadares

Leonardo, sempre curioso, quis saber se o vovô ainda hoje faz alguma outra coleção.

TENHO, SIM. ESTE NOSSO LIVRO TRAZ UMA PARTE DA MINHA COLEÇÃO DE BRINCADEIRAS MATEMÁTICAS.

Cibele Queiroz

Veja esta brincadeira matemática que vovô selecionou:

> Quando Dudu ia para a escola encontrou um homem que voltava acompanhado de duas mulheres, cada uma com duas sacolas, tendo em cada sacola duas gatas, cada gata com dois gatinhos. Gatinhos, gatas, sacolas, mulheres, homens e crianças, quantos iam para a escola?

A titia que passava, falou: — Esse problema é muito difícil, pois as crianças teriam que imaginar um esquema para cada mulher.

Cada (1) mulher, (2) sacolas, (4) gatas e (8) gatinhos, ao todo (15).

E como são duas mulheres, temos que achar o dobro (30), com o homem que as acompanhava são 31. Certo!?

Enquanto vovô sorria, Dudu reclamou:

E, EU? NÃO ENTRO NA CONTAGEM? SOMOS 32!

Leonardo que sempre lê e ouve com muita atenção, disse sorrindo:

TITIA, VOCÊ NÃO PRESTOU ATENÇÃO, ESSA É MAIS UMA PEGADINHA DO VOVÔ!

A resposta é **uma pessoa**.

Esse problema apareceu no livro do matemático Fibonacci, que viveu no século XIII, cujo título em português seria "O livro do Ábaco" e para confundir ainda mais, falava que o homem era acompanhado de 7 mulheres, cada uma com 7 sacos, cada saco com 7 gatas e cada gata com 7 gatinhos. Em inglês esse problema é uma interessante rima, muito recitada nas escolas inglesas.

Você entendeu? Homens, mulheres, sacolas, gatas e gatinhos voltavam da escola. Somente o Dudu ia para lá. Resposta: uma pessoa.

Muitas vezes basta prestarmos muita atenção no enunciado para percebermos a solução do problema. Ainda mais se ele é uma pegadinha!

1 Casa de brinquedos e coleções

NO PRIMEIRO VOLUME VOCÊ CONHECEU A CASA DE BRINQUEDOS DO VOVÔ.

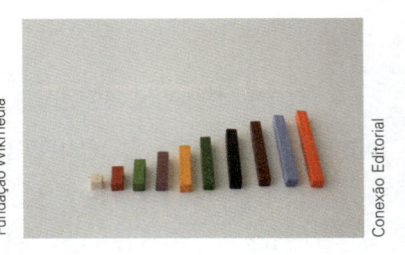

Agora, temos uma surpresa! Vamos brincar com algumas das coleções favoritas do vovô.

ELE COLECIONA DE TUDO E É BEM ORGANIZADO! GUARDA TUDO EM EMBALAGENS COMO CAIXAS DE PAPELÃO, POTES, LATAS DE BOLACHA E ATÉ EM ÁLBUNS BEM ATRAENTES.

EU GOSTO MESMO É DA COLEÇÃO DE CARRINHOS EM MINIATURA, QUE VOVÔ TEM DESDE CRIANÇA.

EU PREFIRO COLECIONAR FIGURAS DE BICHOS!

Onça

Macaco

Tatu

Anta

Preguiça

Tamanduá

Jacaré

As figuras não estão na proporção entre si.

8

Há coleções de todo tipo! Figurinhas de aves brasileiras, de frutas, de flores...

Bandeirinhas, selos do Brasil, pedrinhas, folhas, sementes...

Tem ainda um álbum com fotos dos lugares bonitos de nosso país.

1 Amazônia
2 Pantanal
3 Lençóis Maranhenses
4 Chapada Diamantina
5 Chapada dos Guimarães
6 Cataratas de Foz do Iguaçu

Faça você, também, coleções com o que mais gosta.

2 Sequências de figuras e números

BRINCAR COM PEQUENOS OBJETOS DE COLEÇÕES COM DIFERENTES FORMAS E CORES É BEM DIVERTIDO!

Dudu inventou uma sequência com carrinhos coloridos. Pinte o último.

Giovana fez uma sequência de figurinhas de flores. Desenhe e pinte a terceira figurinha.

Leonardo preferiu brincar com dominó. Vovô também coleciona muitos jogos. Marque os pontos da peça que está faltando nesta sequência.

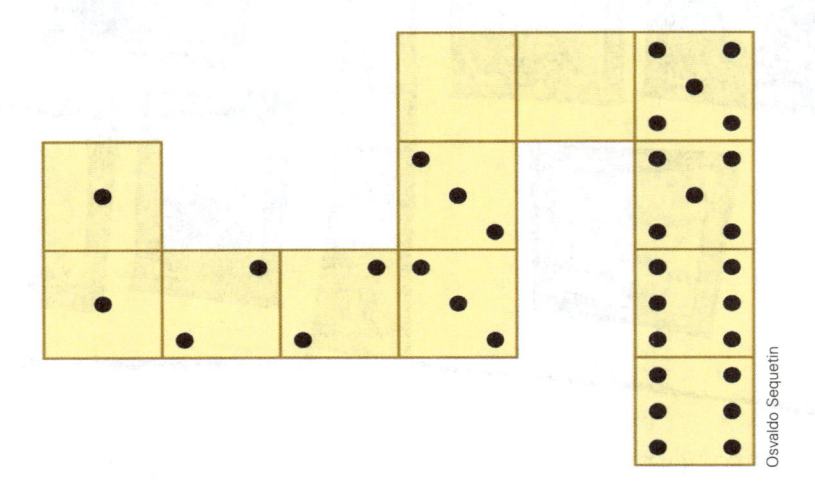

PARA VOCÊ PENSAR... FAZER E DESCOBRIR

1 Desenhe bolinhas de gude para completar cada sequência.

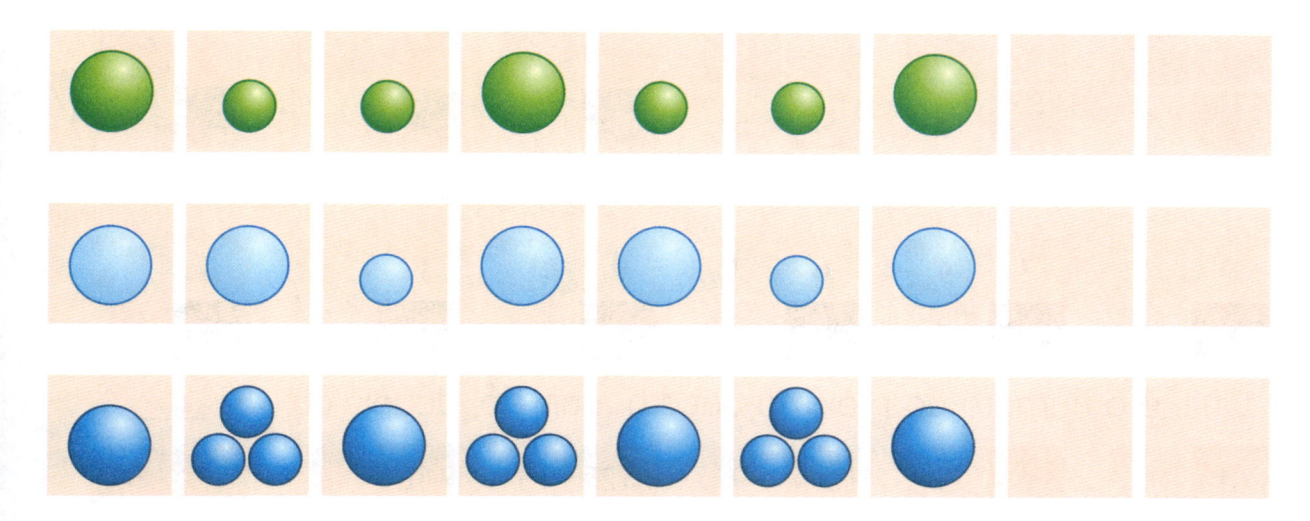

2 Pinte a bandeirinha que falta em cada sequência.

3 Cartelas de números

Complete cada sequência de números e responda.

- Qual é o número do próximo quadro rosa, depois do 10? ____

- Qual é o número do próximo quadro amarelo, depois do 15? ____

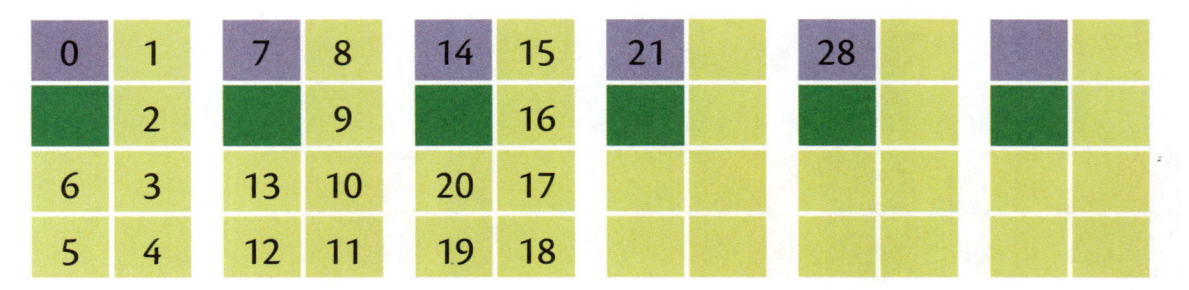

- Qual é o número do próximo quadro laranja, depois do 20? ____

- Qual é o número do próximo quadro verde, depois do 15? ____

- Qual é o número do próximo quadro amarelo, depois do 18? ____

- Qual é o número do próximo quadro lilás, depois do 35? ____

Invente outras cartelas para brincar com o jogo de tômbola.

4 Sequências e estrelas

Com o auxílio de uma régua, ligue os pontos indicados pelas sequências numéricas.

1 Ligue nesta ordem: 1, 2, 3, 4 e 5. Ligue também 5 e 1.

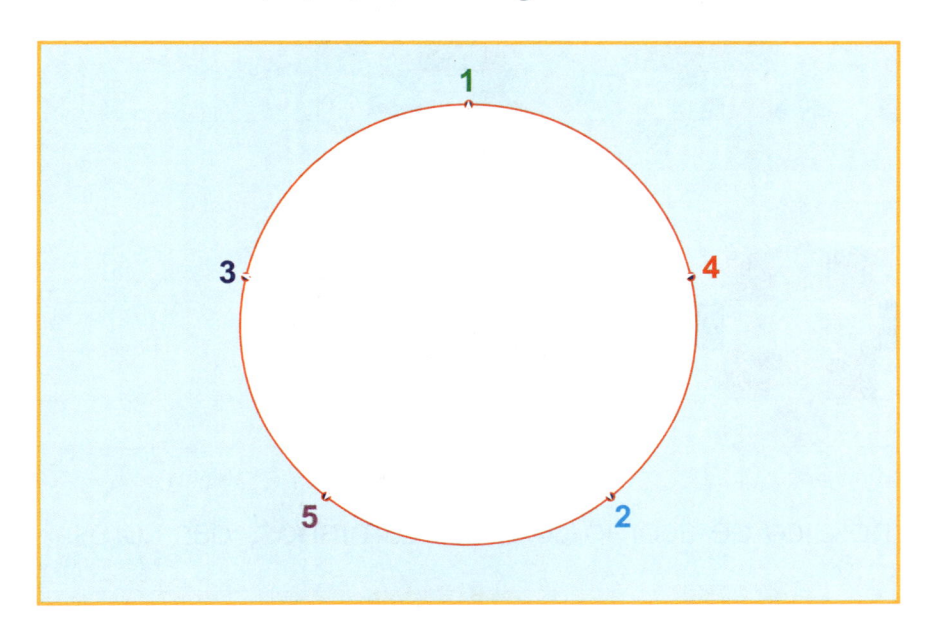

2 Ligue nesta ordem: 1, 2, 3, 4, 5, 6, 7, 8, 9 e 10. Ligue também 10 e 1.

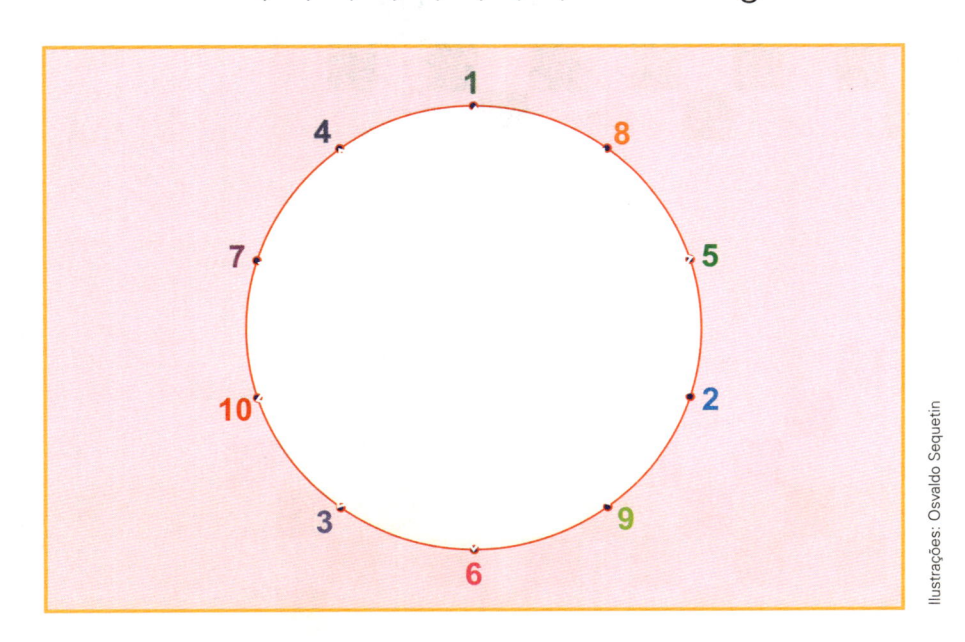

Pinte as estrelas como desejar.

Ilustrações: Osvaldo Sequetin

5 Sequências em faixas e mosaicos

1 Pinte para completar cada faixa colorida.

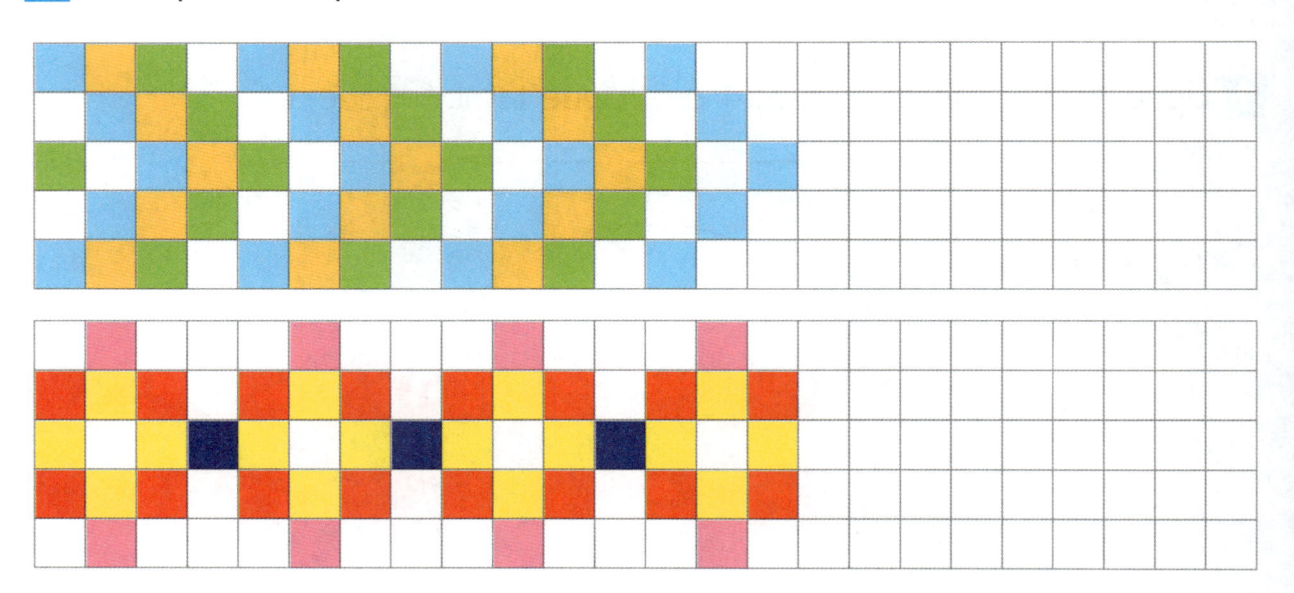

2 Pinte o mosaico de acordo com os "caminhos" das cores.

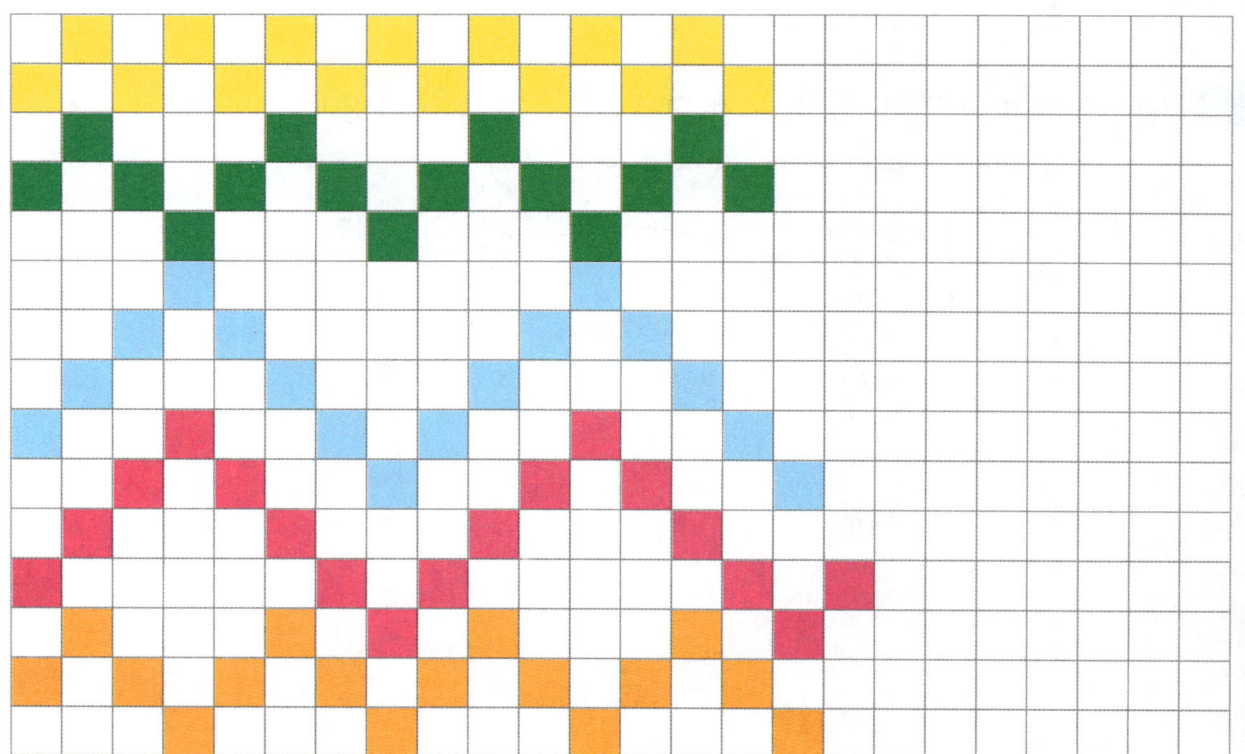

Ilustrações: Osvaldo Sequetin

14

6 Combinando sequências

1 Pinte e desenhe para descobrir a quarta figura de cada sequência.

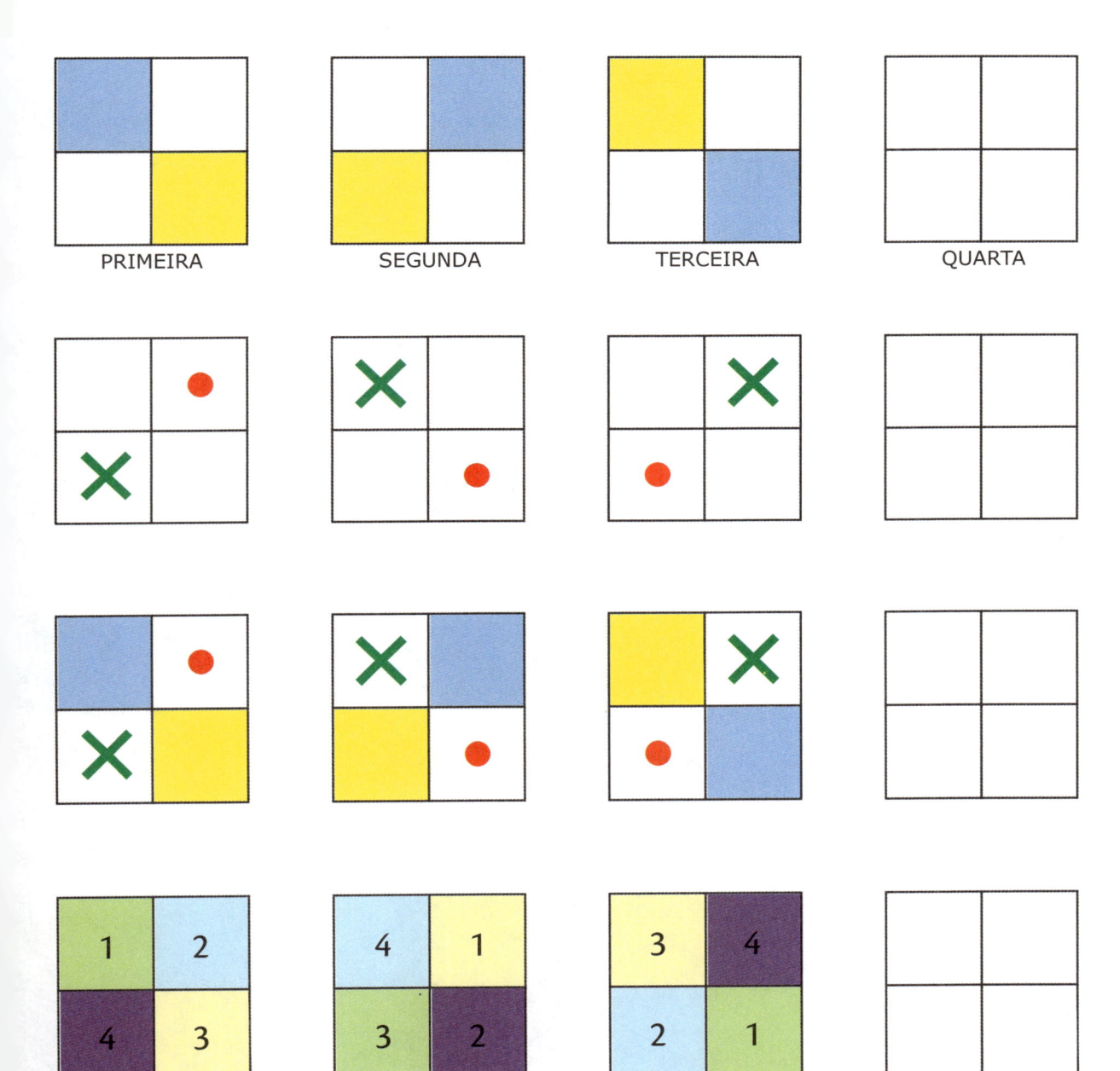

PRIMEIRA — SEGUNDA — TERCEIRA — QUARTA

7 Sequências de linhas e figuras

1 Ligue os pontos. Continue cada sequência.

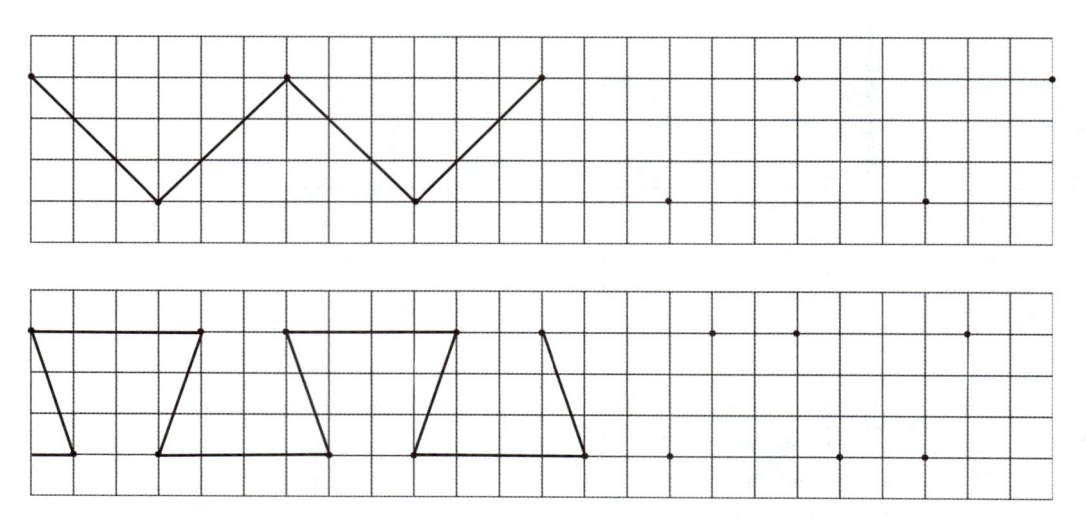

2 Continue o traçado das figuras de cada sequência.

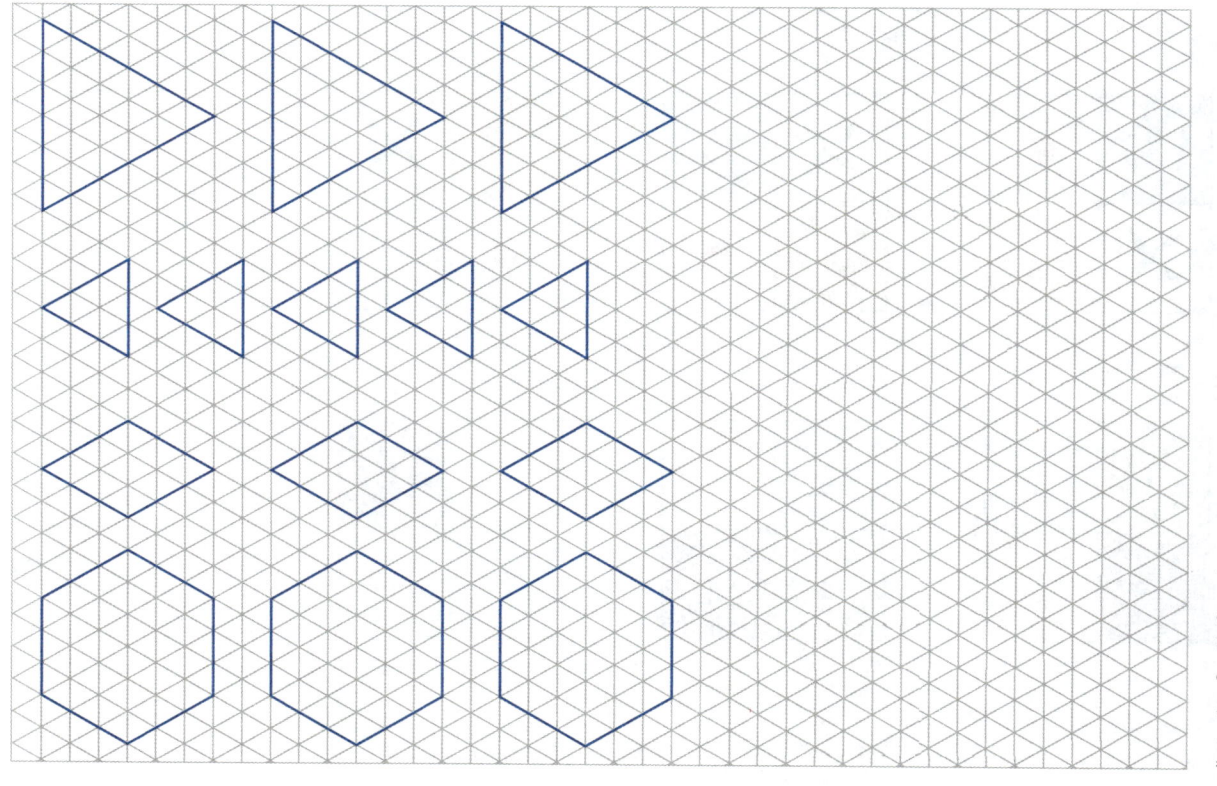

Ilustrações: Osvaldo Sequetin

8 Vamos formar figuras?

1 Pinte onde há os números ímpares 1, 3, 5, 7, 9, 11 e 13.

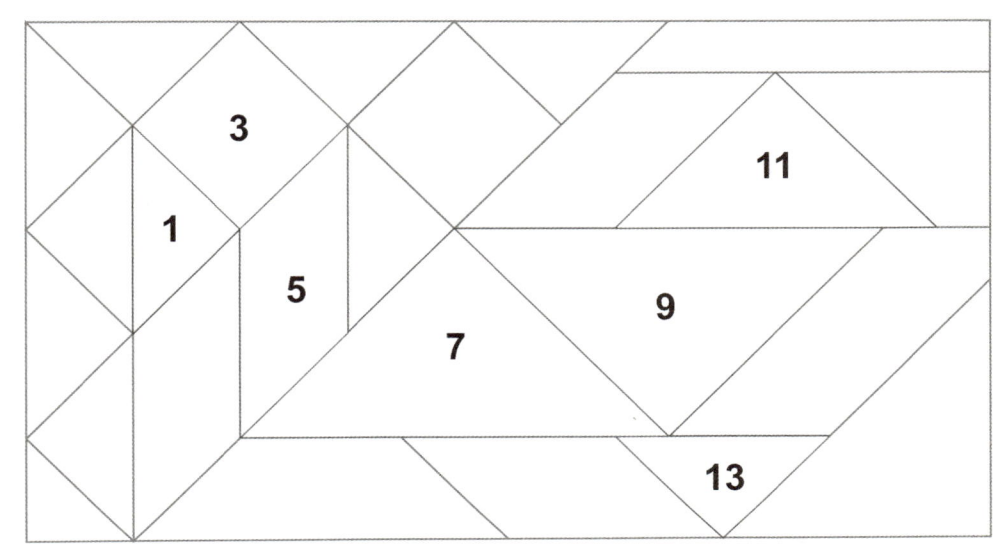

2 Pinte onde há os números pares 0, 2, 4, 6, 8, 10 e 12.

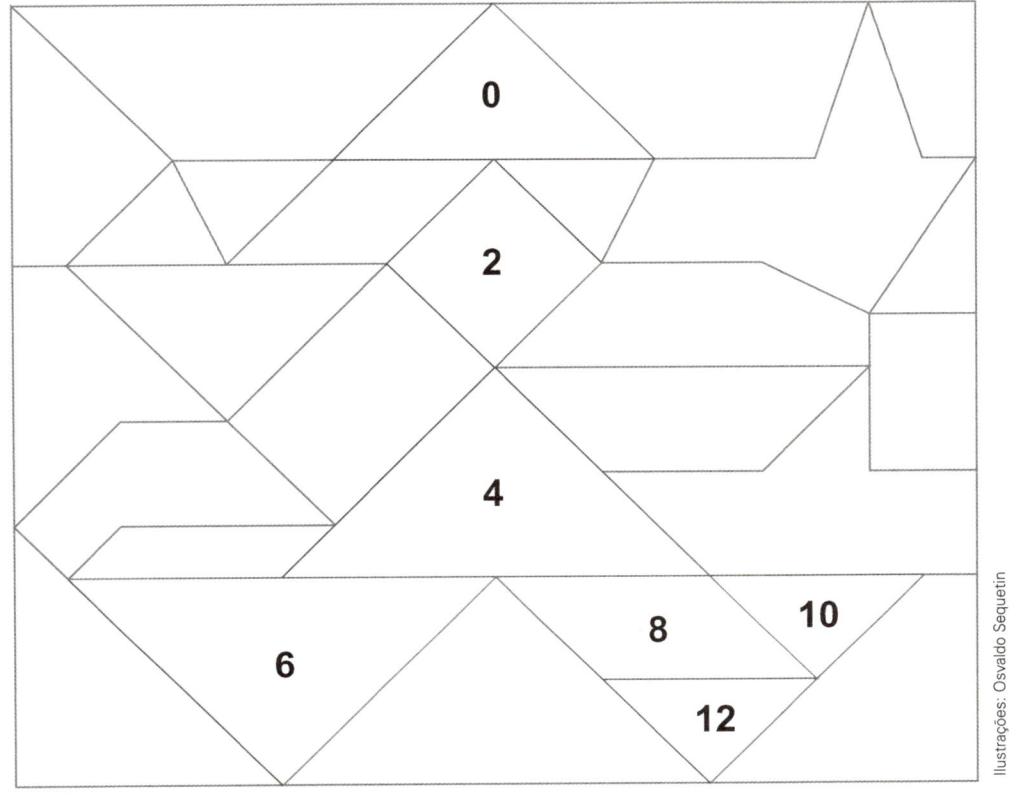

Ilustrações: Osvaldo Sequetin

17

3 Formas geométricas na folha de papel

As figuras geométricas desenhadas numa folha de papel apoiada na carteira são exemplos de figuras planas.

- Ligue os pontos 1, 2, 3 e 1 para desenhar a figura de um triângulo.

Figura de um triângulo.

- Pinte dentro do triângulo para obter uma figura com o formato triangular.

Figura com formato triangular.

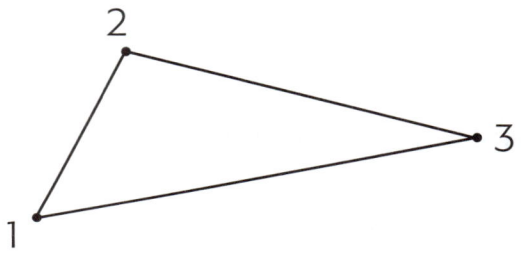

- Ligue os pontos 1, 2, 3, 4 e 1 para desenhar a figura de um quadrado.

Figura de um quadrado.

- Pinte dentro do quadrado para obter uma figura com o formato quadrado.

Figura com formato quadrado.

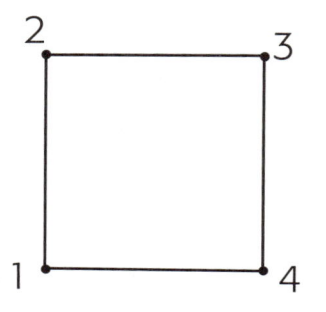

Ilustrações: Osvaldo Sequetin

PARA VOCÊ PENSAR... FAZER E DESCOBRIR

1 Triângulos e quadrados

1 Desenhe triângulos a partir dos pontos da malha.

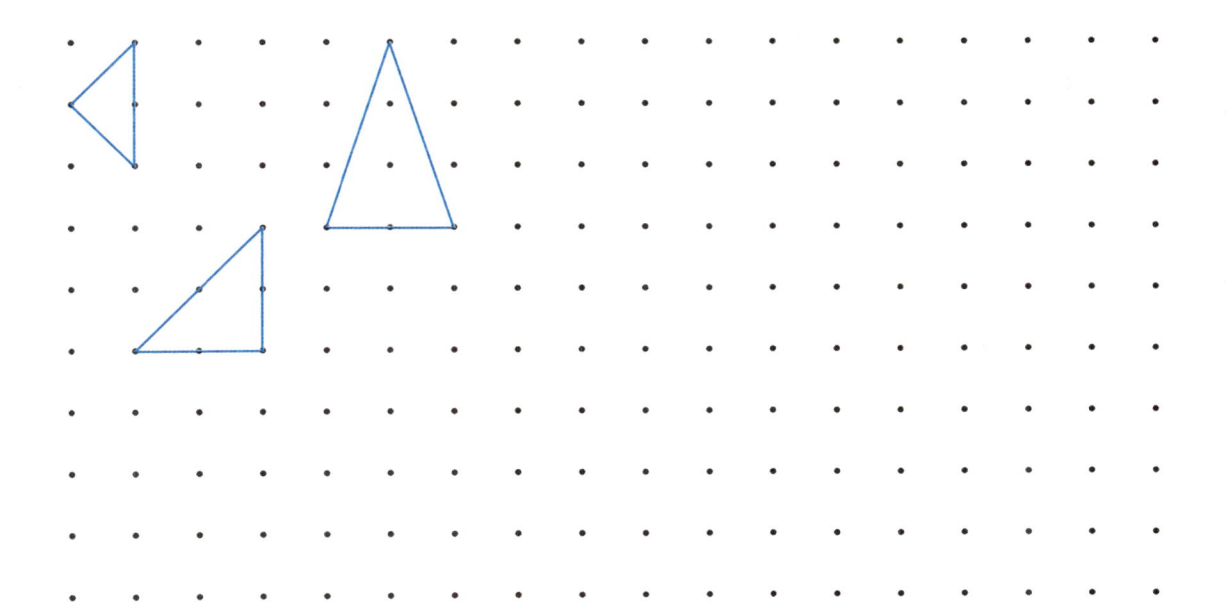

2 Desenhe quadrados a partir dos pontos da malha.

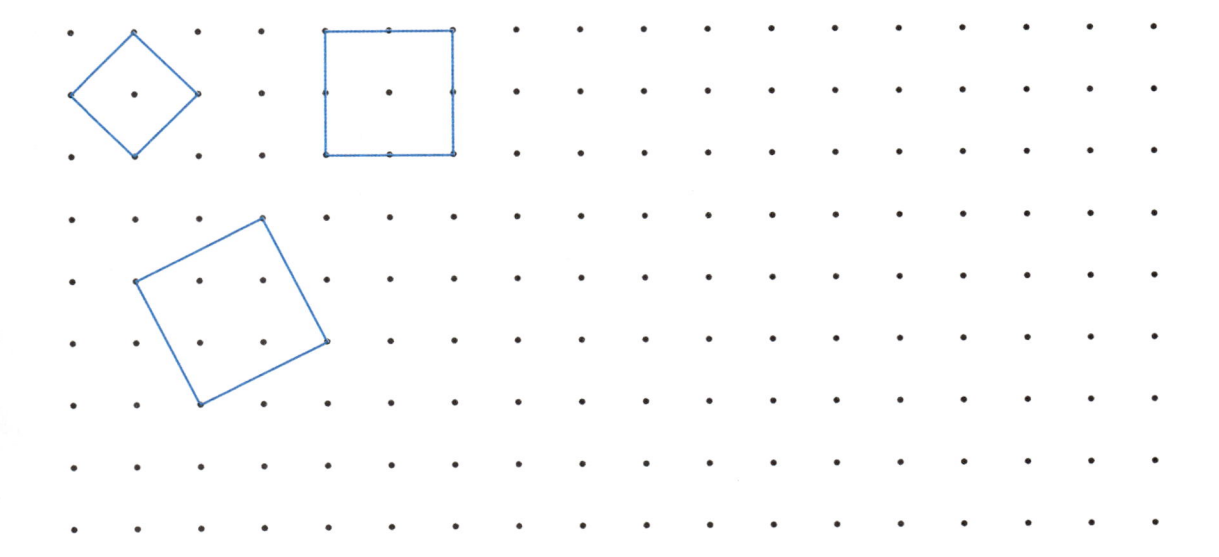

19

2 Figuras de quatro lados

Desenhe figuras de quatro lados a partir dos pontos da malha.

lado

3 Figuras quadradas com dobradura

Esta atividade é para fazer com papel e tesoura escolar.

Etapa 1 Pegue um pedaço de papel e dobre-o como mostra a ilustração.

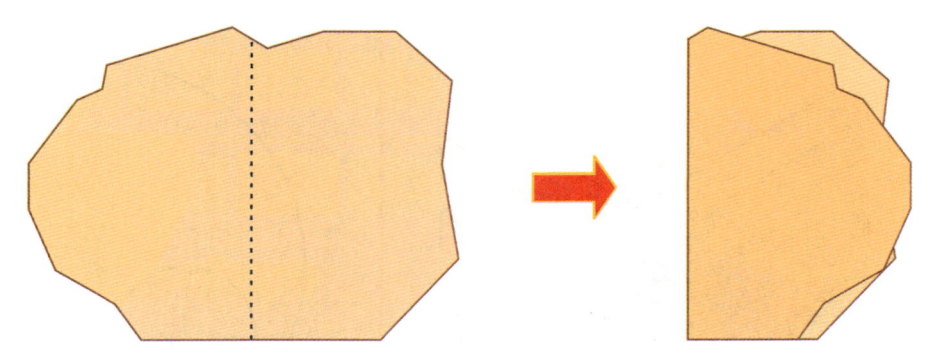

Etapa 2 Dobre outra vez, conforme indicação.

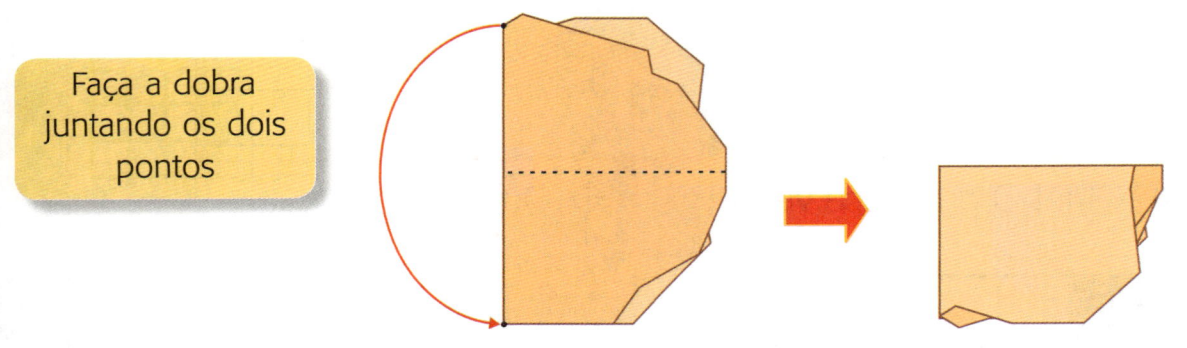

Faça a dobra juntando os dois pontos

Etapa 3 Recorte para obter a forma do quadrado.

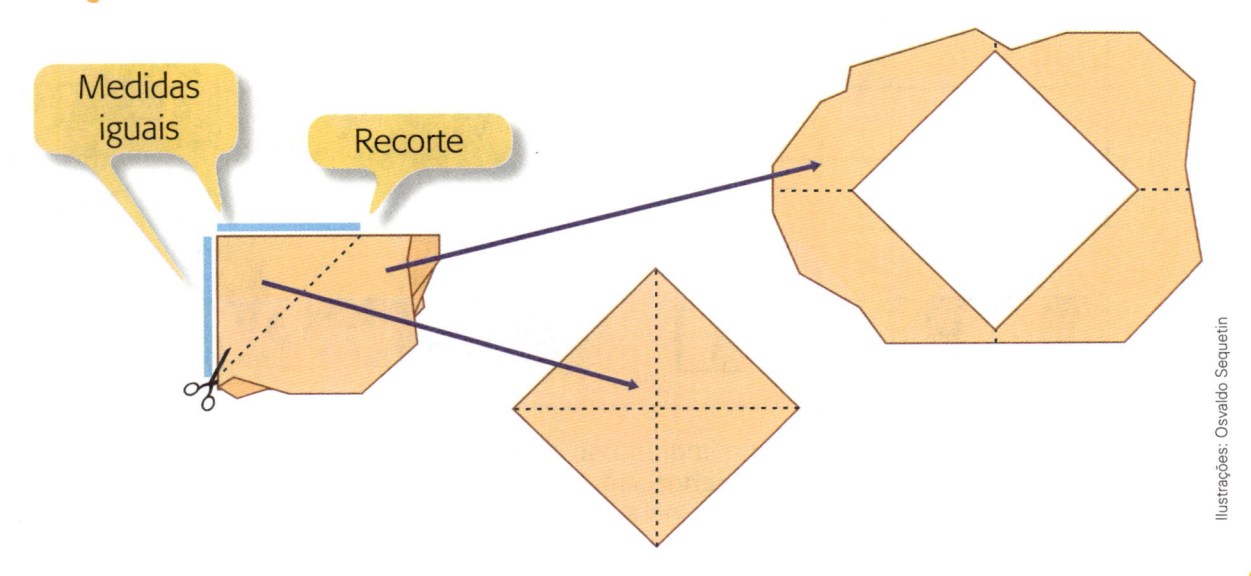

Medidas iguais

Recorte

Ilustrações: Osvaldo Sequetin

4 Curiosidade visual!

1 Tudo certo! Ou não?

2 A roda menor está torta?

3 Olhe! O que você vê?

4 Quantos?

Respostas: 1 O desenho foi criado para iludir nosso olhar; na frente vemos uma imagem que não se "liga" com a parte de trás. **2** A roda menor não está torta; os raios da roda maior criam essa ilusão. **3** Está escrito OLHE! (incline a folha para ler). **4** São 6 animais: rato, gato, cachorro, cavalo, gorila e elefante.

5 Primeiras ideias de adição e subtração

Vamos adicionar?

3

2

3 + 2 = 5

5 é a soma

ENTENDI A EXPLICAÇÃO E ADOREI AS BONEQUINHAS!

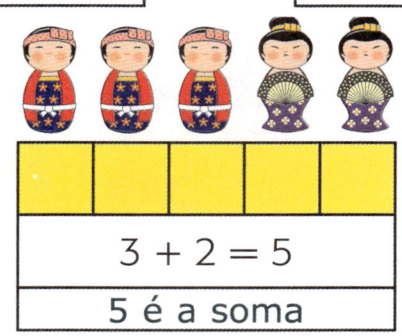

ESSAS BONEQUIHAS SÃO DE MADEIRA!

Vamos subtrair?

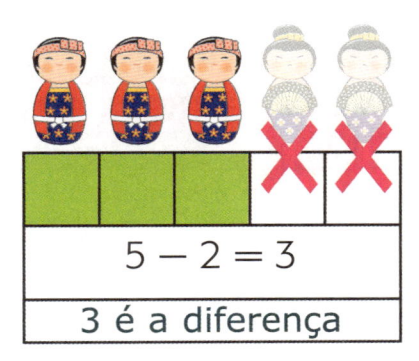

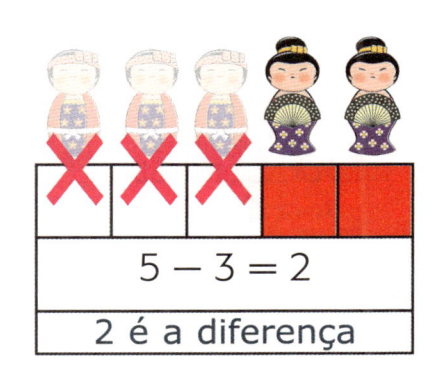

5

5 − 2 = 3

3 é a diferença

5 − 3 = 2

2 é a diferença

Ilustrações: Osvaldo Sequetin

PARA VOCÊ PENSAR... FAZER E DESCOBRIR

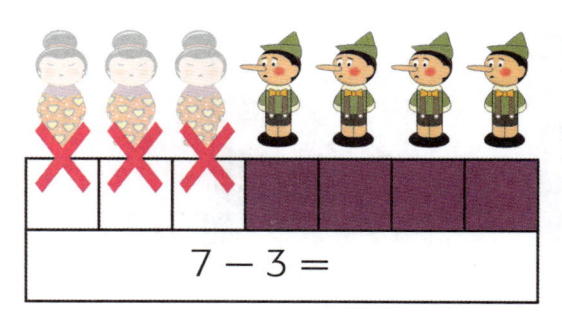

1 Efetue as adições.

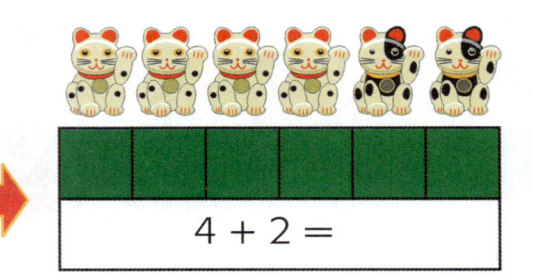

4   2   →   4 + 2 =

3   4   →   3 + 4 =

2 Efetue as subtrações.

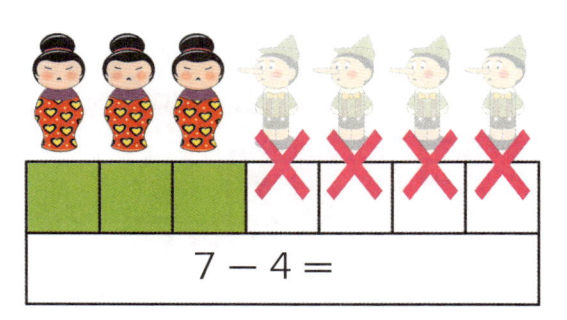

6 − 2 =   ou   6 − 4 =

7 − 4 =   ou   7 − 3 =

Ilustrações: Osvaldo Sequetin

3 Efetue as adições e subtrações.

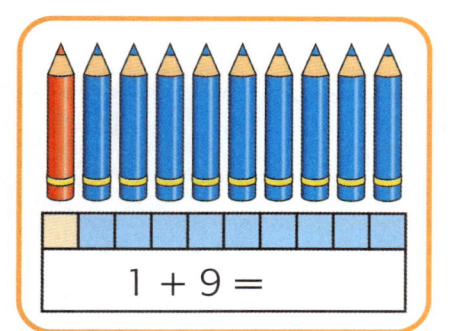

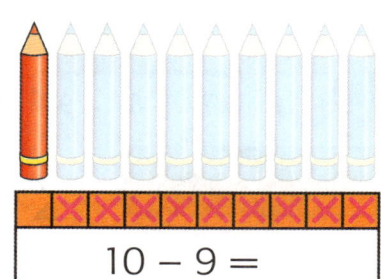

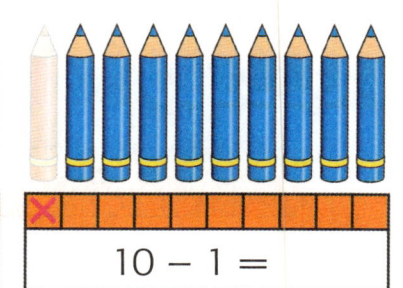

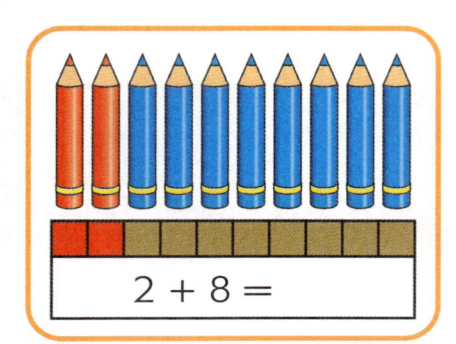

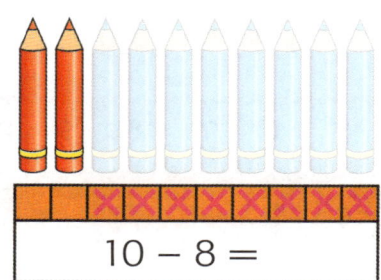

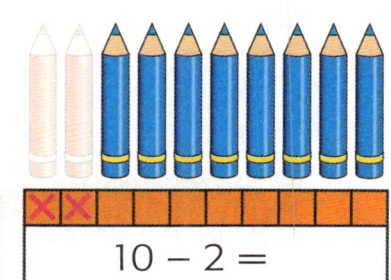

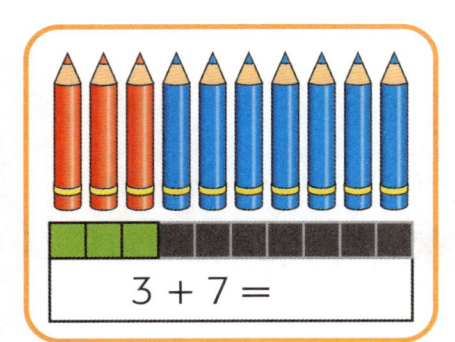

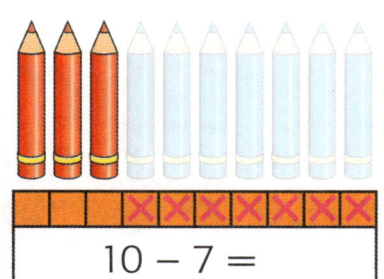

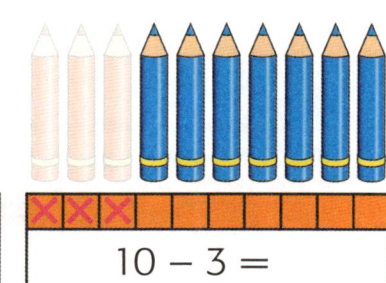

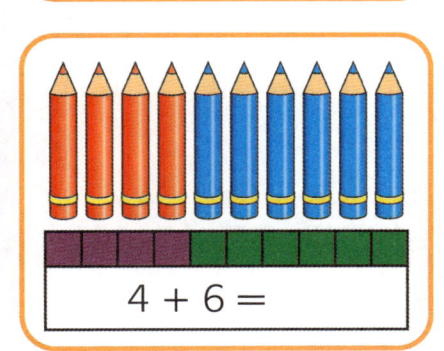

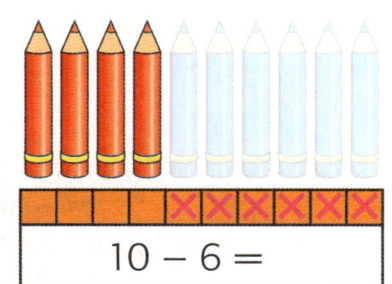

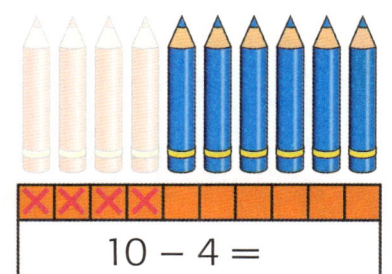

1 + 9 =

10 − 9 =

10 − 1 =

2 + 8 =

10 − 8 =

10 − 2 =

3 + 7 =

10 − 7 =

10 − 3 =

4 + 6 =

10 − 6 =

10 − 4 =

4 Adição na reta de número

Efetue as adições e represente-as nas retas numeradas.

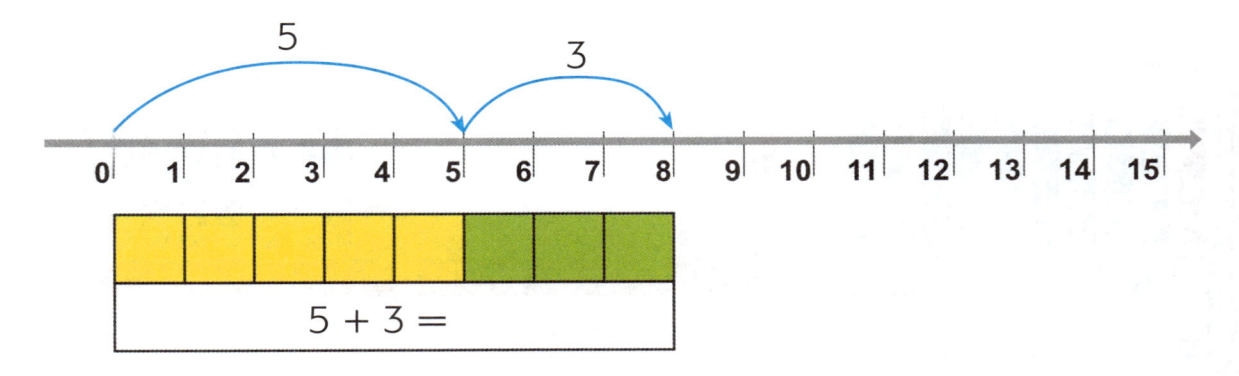

5 + 3 =

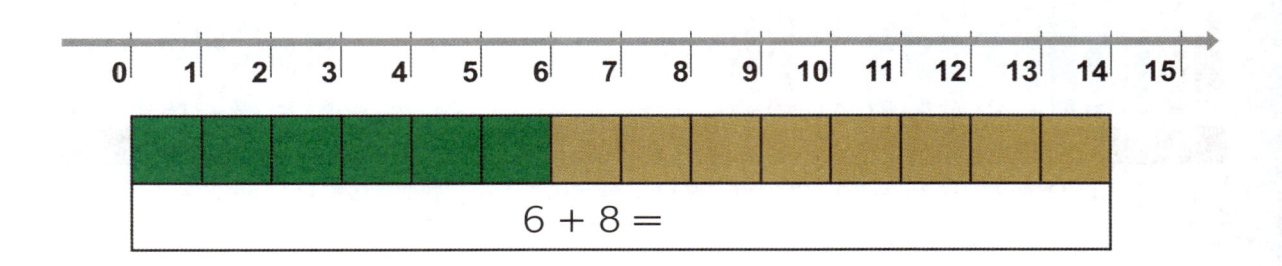

6 + 8 =

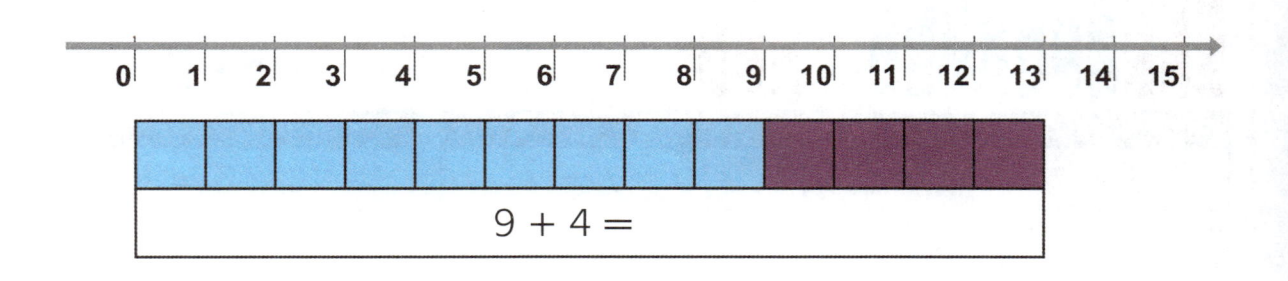

9 + 4 =

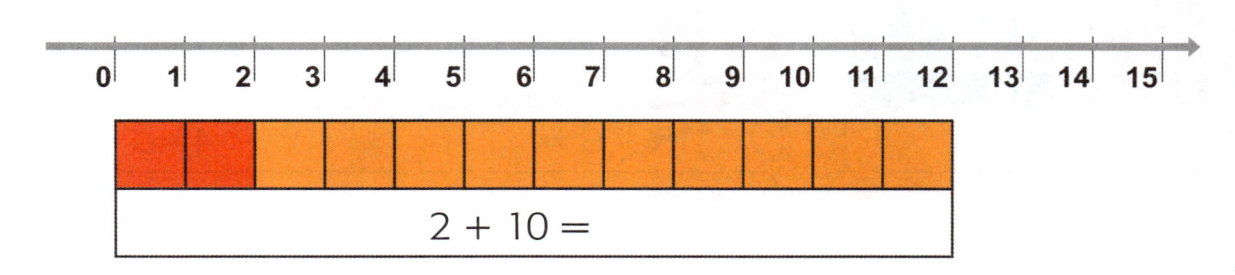

2 + 10 =

5 Subtração na reta de números

Efetue as subtrações e represente-as nas retas numeradas.

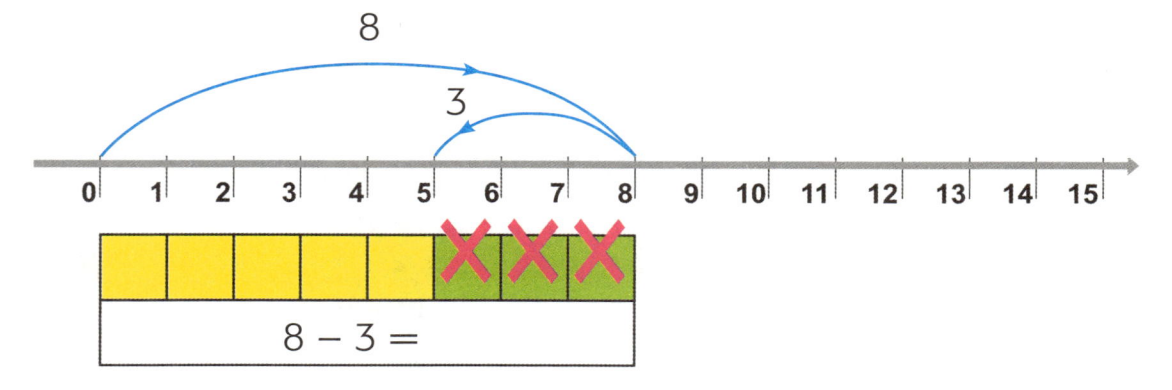

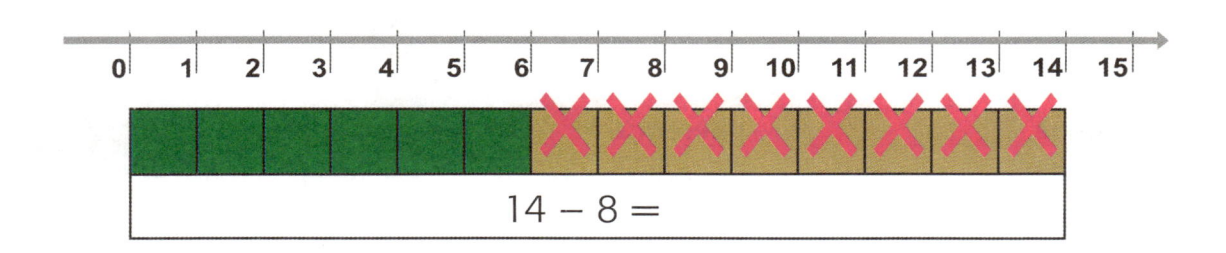

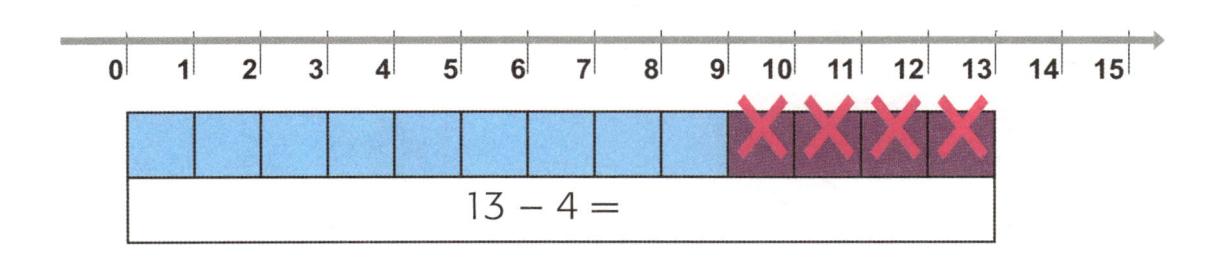

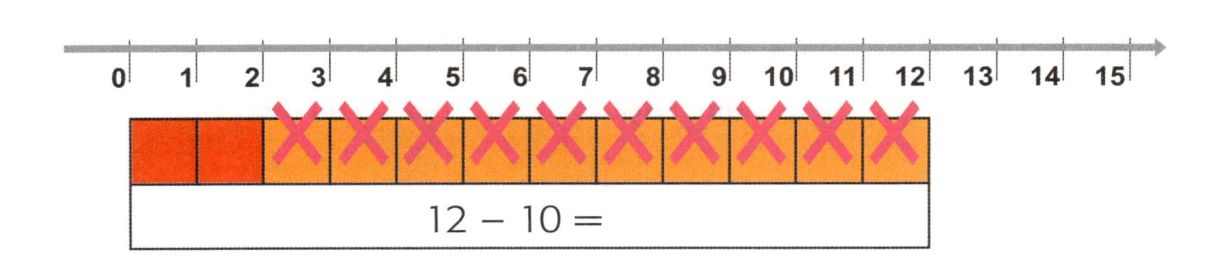

8 − 3 =

14 − 8 =

13 − 4 =

12 − 10 =

6 Calcule as somas e as diferenças.

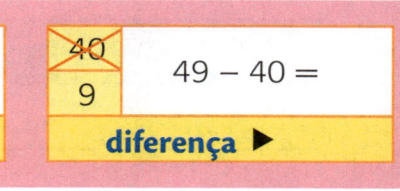

10	10 + 3 =	10	13 − 3 =	10	13 − 10 =
3		3		3	
soma ▶ 13		diferença ▶ 10		diferença ▶ 3	

10	10 + 7 =	10	17 − 7 =	10	17 − 10 =
7		7		7	
soma ▶		diferença ▶		diferença ▶	

20	20 + 1 =	20	21 − 1 =	20	21 − 20 =
1		1		1	
soma ▶		diferença ▶		diferença ▶	

30	30 + 8 =	30	38 − 8 =	30	38 − 30 =
8		8		8	
soma ▶		diferença ▶		diferença ▶	

40	40 + 9 =	40	49 − 9 =	40	49 − 40 =
9		9		9	
soma ▶		diferença ▶		diferença ▶	

50	50 + 6 =	50	56 − 6 =	50	56 − 50 =
6		6		6	
soma ▶		diferença ▶		diferença ▶	

7 Adição com valores em reais

1 Vamos começar a guardar moedas no cofrinho? Quantos reais?

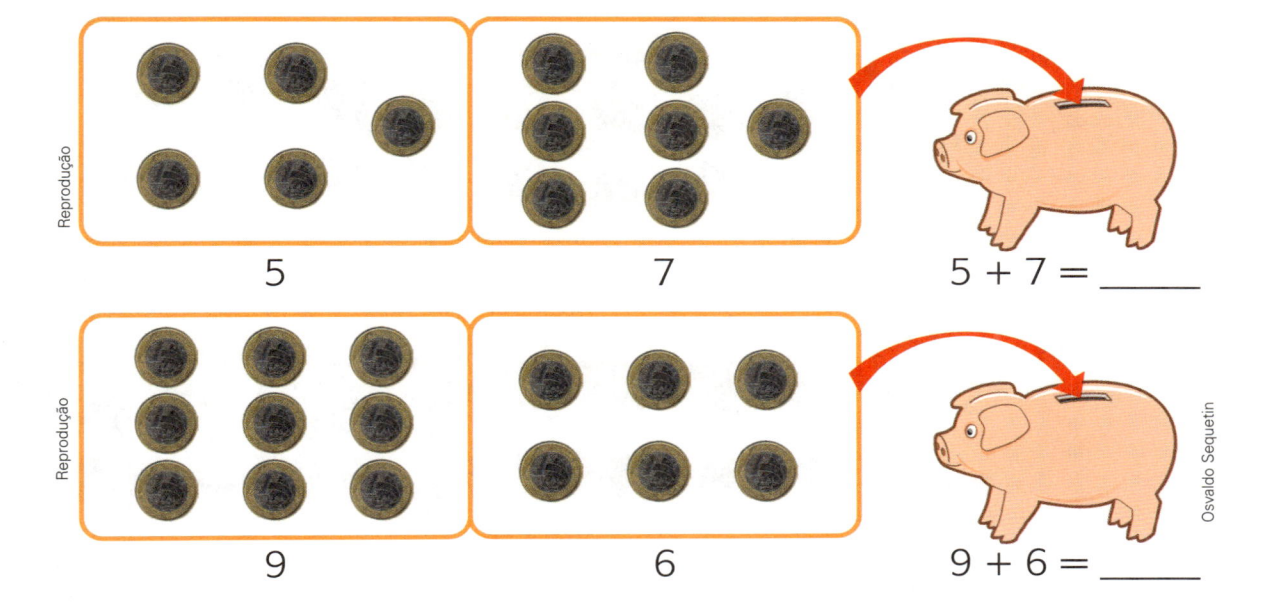

5   7   5 + 7 = _____

9   6   9 + 6 = _____

2 Leonardo e Dudu juntaram cédulas e moedas. Quanto eles juntaram?

| 5 + 2 | 8 | 5 + 2 + 8 = _____ |

3 Giovana e vovô também juntaram cédulas e moedas. Quanto eles juntaram?

| 4 | 10 + 5 | 4 + 10 + 5 = _____ |

8 Subtração com valores em reais

1 Vamos retirar moedas do cofrinho? Quantos reais restarão?

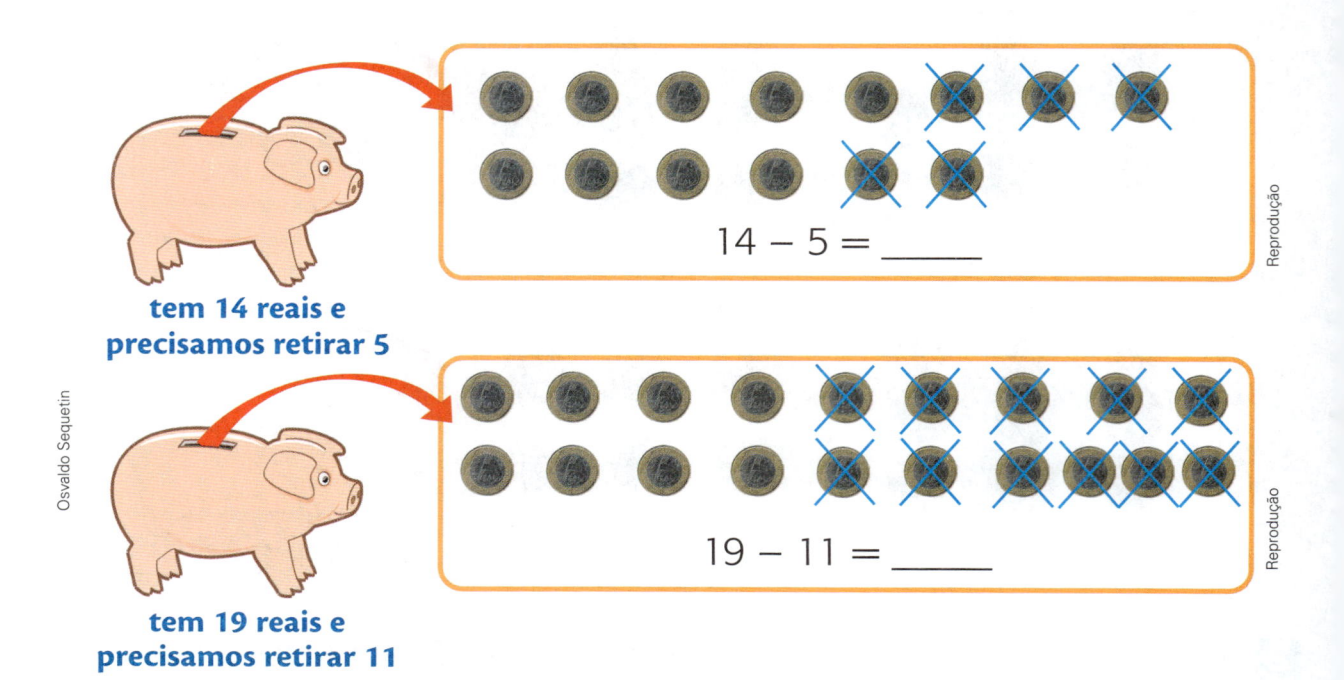

14 – 5 = _____

tem 14 reais e precisamos retirar 5

19 – 11 = _____

tem 19 reais e precisamos retirar 11

2 Dudu tem 9 reais em cédulas e moedas e precisa gastar 4 reais. Quanto ainda restará?

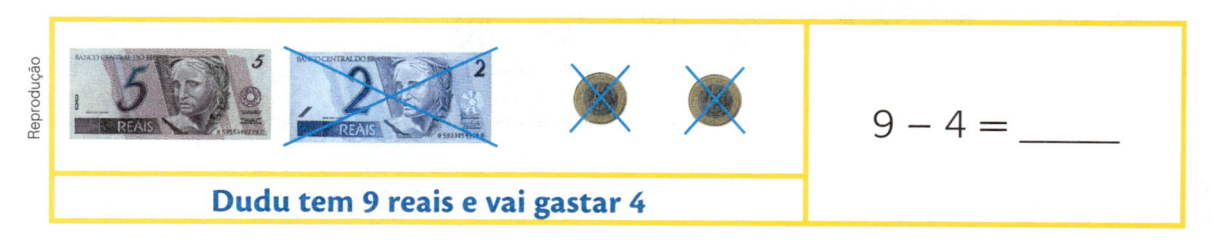

9 – 4 = _____

Dudu tem 9 reais e vai gastar 4

3 Giovana tem 20 reais em cédulas e moedas e precisa gastar 8 reais. Quanto ainda restará?

20 – 8 = _____

Giovana tem 20 reais e vai gastar 8

9 Efetue as adições.

24	27	25	23	22	21
+ 5	+ 1	+13	+21	+36	+46
29					

32	31	36	33	34	35
+ 4	+17	+21	+36	+42	+54

44	45	41	48	46	47
+12	+22	+35	+31	+42	+51

50	52	56	53	51	55
+17	+21	+30	+43	+42	+32

64	65	61	66	66	60
+12	+23	+32	+20	+23	+27

72	71	76	73	70	75
+14	+12	+21	+16	+13	+14

84	85	81	92	96	91
+13	+11	+12	+ 7	+ 1	+ 5

10 Efetue as subtrações.

25	28	29	27	23	26
− 4	− 3	− 2	− 7	− 1	− 3
21					

39	32	38	33	35	36
−12	−11	−26	−23	−33	−31

47	45	43	49	48	48
−23	−24	−30	−37	−15	− 8

57	58	56	55	53	50
− 2	−21	−16	−13	−23	−30

67	65	63	69	68	68
−24	−25	−30	−38	−45	−50

78	78	77	79	76	79
−12	−31	−26	−53	−63	−75

87	85	83	99	98	98
− 6	−24	−30	−39	−51	+50

6 Matemática e arte
Malha de pontos

Com a malha geométrica de pontos também se pode fazer arte!

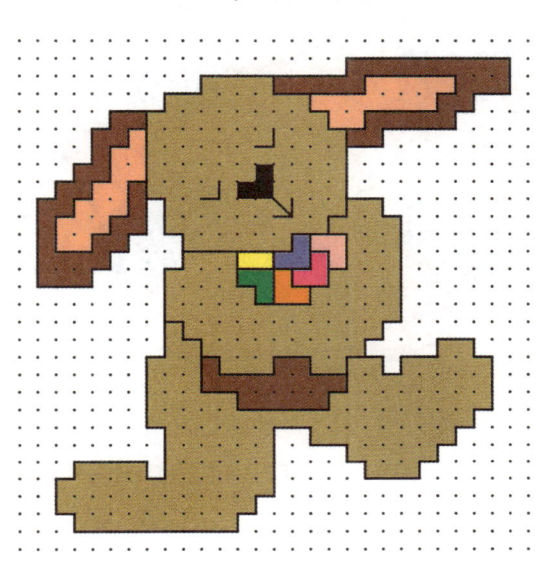

Ilustrações: Osvaldo Sequetin

Agora, experimente você. Pinte como desejar.

Exemplos com a malha triangular de pontos.

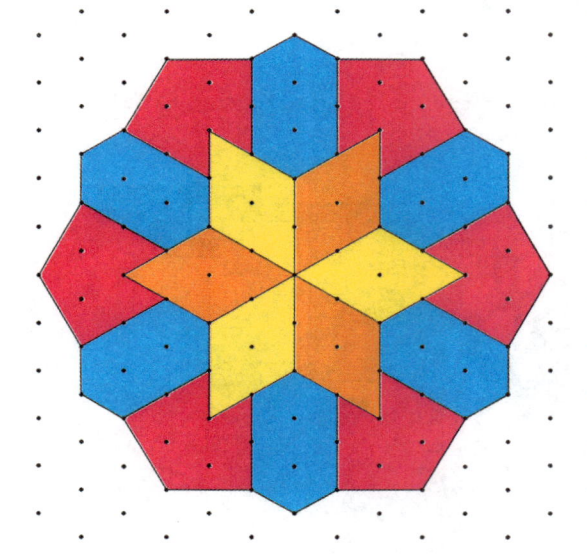

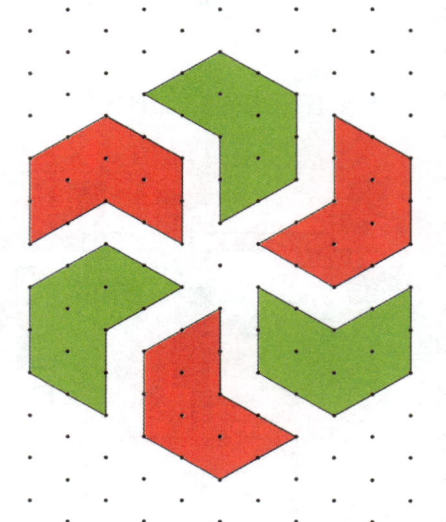

Crie outras figuras na malha triangular de pontos.

Ilustrações: Osvaldo Sequetin

34

Criação de malhas geométricas a partir de malhas de pontos.

Exemplo 1

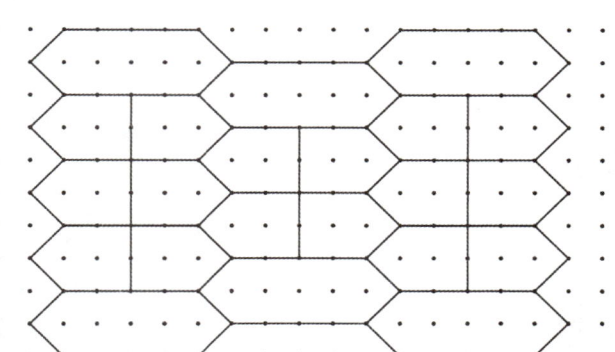

Exemplo 2

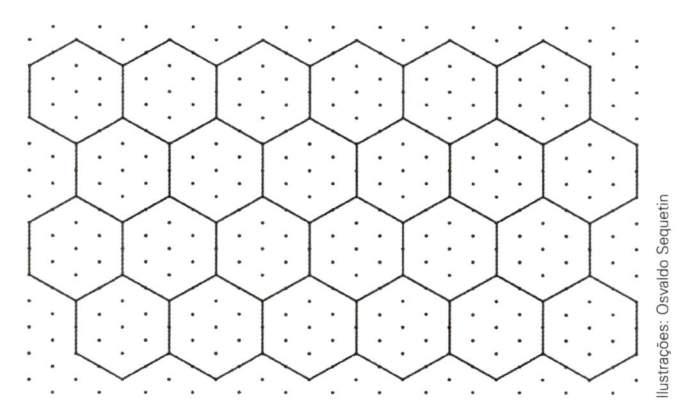

Ilustrações: Osvaldo Sequetin

Crie também novas malhas geométricas.

- Faça uma coleção de malhas geométricas para reproduzir e utilizar em outras atividades.

7 Um novo tangram
Roda, roda, roda...

No primeiro volume você brincou com o tangram quadrado:

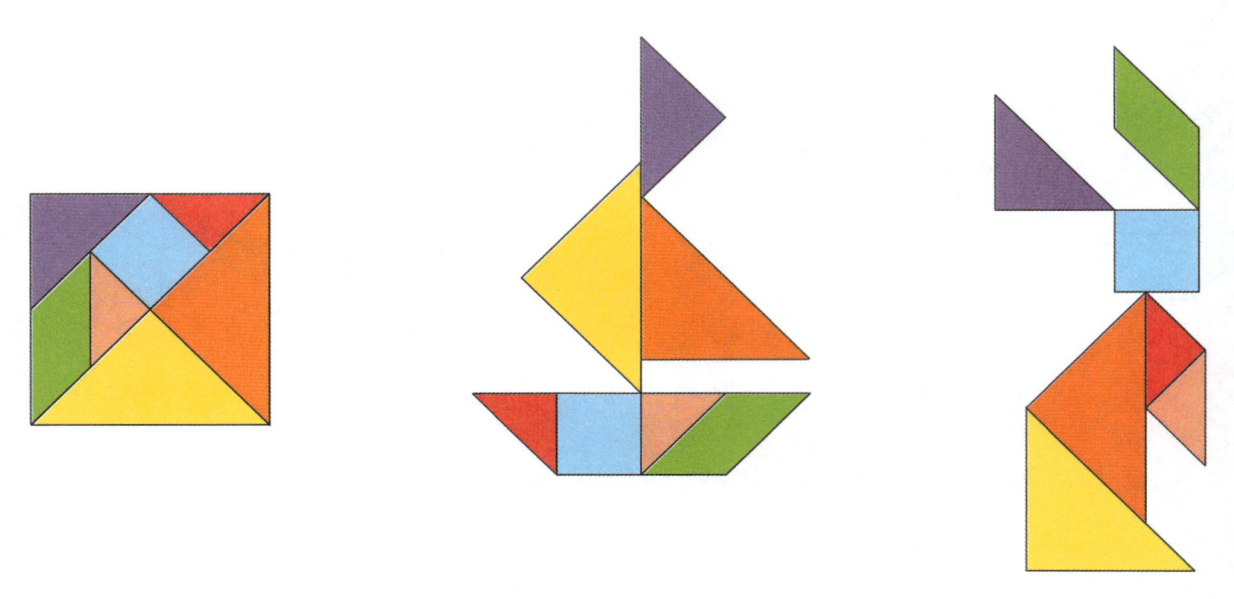

Agora, observe o tangram redondo, ou seja, com o formato circular.

tangram circular

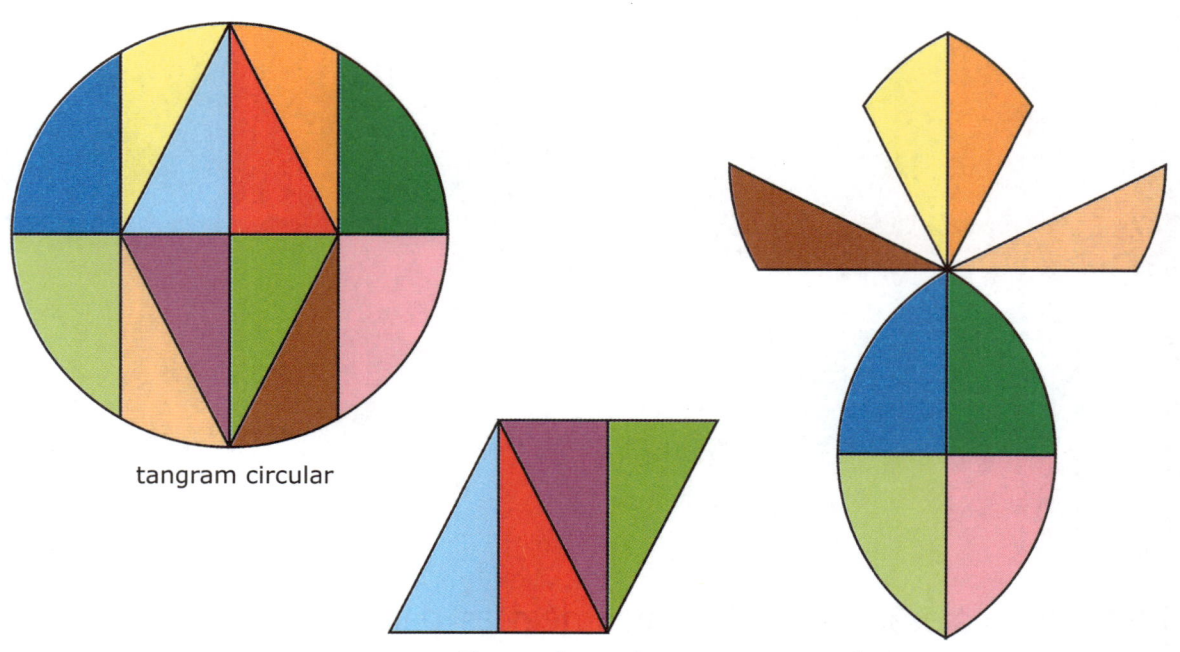

Figuras formadas com as peças do tangran circular.

Ilustrações: Osvaldo Sequetin

36

Veja outras figuras que podemos criar com esse tangram:

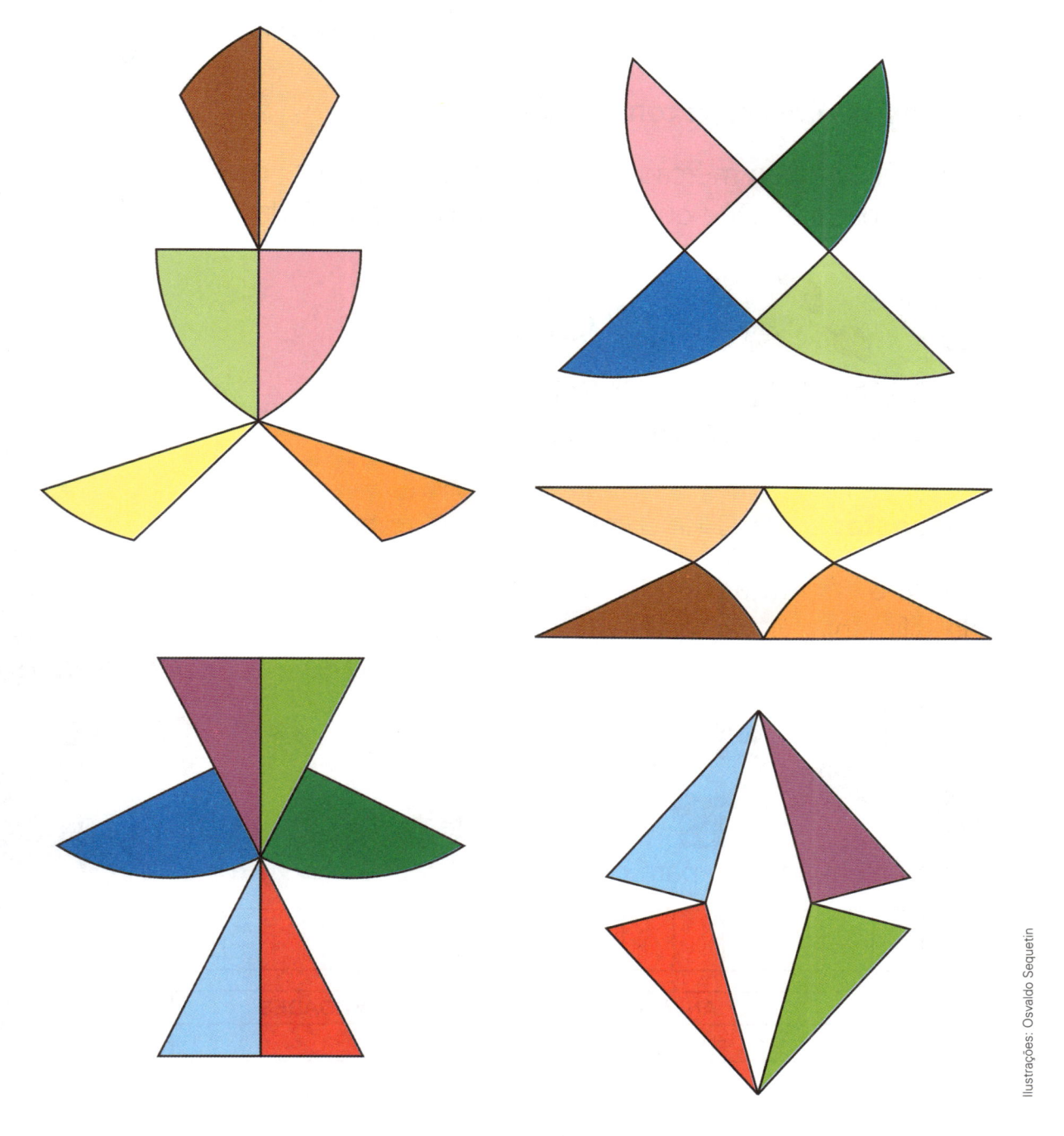

- Recorte as peças do tangram circular do Material Complementar e forme as figuras que desejar.
- Com os colegas, organizem um mural.

Ilustrações: Osvaldo Sequetin

8 Adição e subtração – Problemas têm solução!

1 Situações-problema com adição

1 Dona Gilda foi ao mercado de frutas e comprou um melão, quatro cajus e dois abacates. Que quantidade de frutas dona Gilda comprou?

1 + 4 + 2 = _____

Resposta: Dona Gilda comprou _____ frutas.

2 Marcelo é tratador de animais de um zoológico. Todo dia ele alimenta 3 tamanduás, 5 lobos-guará, 2 antas e 6 capivaras. Quantos animais Marcelo alimenta por dia? Observe e conte os animais.

Pinte um quadrinho para cada animal:

ANIMAIS	QUANTIDADES
TAMANDUÁS	3
LOBOS-GUARÁ	5
ANTAS	2
CAPIVARAS	6
TOTAL	

Resposta: Marcelo alimenta _____ animais por dia.

3 Regina ganhou 25 figurinhas de sua avó e 34 de seu avô. Quantas figurinhas Regina ganhou de seus avós?

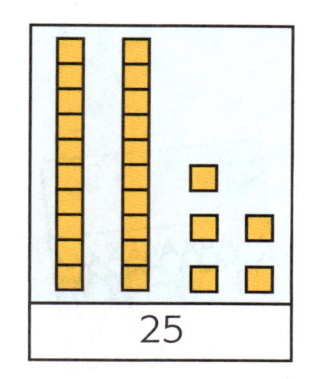

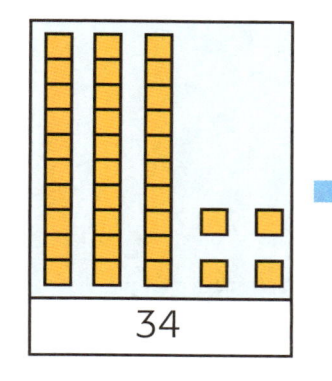

Resposta: Regina ganhou _____ figurinhas de seus avós.

4 Mariana tem 42 selos brasileiros em sua coleção. João tem 5 selos a mais que Mariana. Quantos selos os dois têm no total?

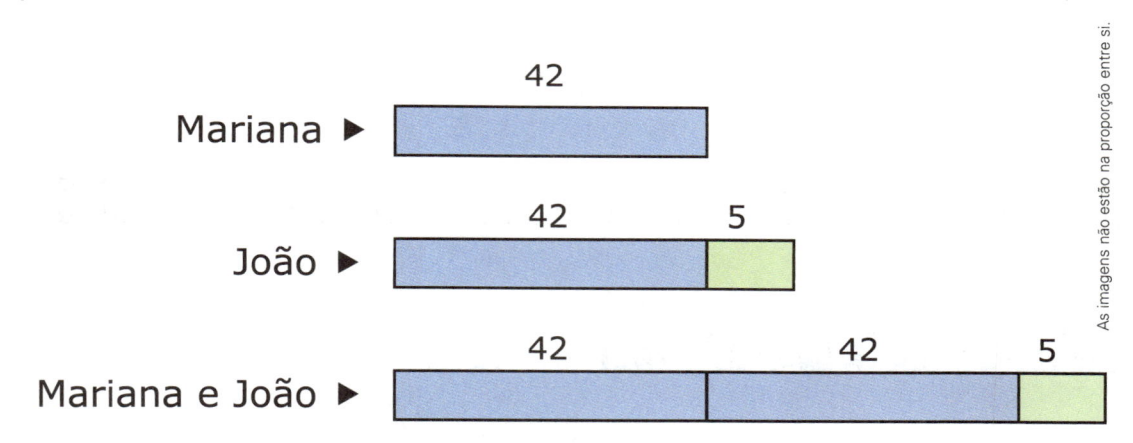

Mariana ▶ 42

João ▶ 42   5

Mariana e João ▶ 42   42   5

As imagens não estão na proporção entre si.

MARIANA	JOÃO	MARIANA E JOÃO
4 2	4 2	4 2
	+ 5	+ 4 7

Resposta: Mariana e João têm no total _____ selos.

2 Situações-problema com subtração

1 Margarida "gastou" 10 lápis de cor de uma caixa com 24 lápis. Quantos lápis restaram?

SUBTRAÇÃO

2 4
− 1 0
_____

Resposta: Restaram _____ lápis.

2 Lúcia e Vitório colecionam cartões-postais. Lúcia tem 25 cartões e Vitório tem 13. Quantos cartões-postais Lúcia tem a mais que Vitório?

LÚCIA 25

VITÓRIO 13

LÚCIA TEM _____ CARTÕES A MAIS.

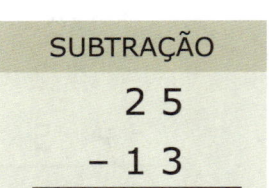

SUBTRAÇÃO

2 5
− 1 3
_____

Resposta: Lúcia tem _____ cartões-postais a mais que Vitório.

3 Maria Clara foi à quitanda com 65 reais e gastou 21 reais na compra de verduras e legumes. Quanto restou à Maria Clara para fazer compras no açougue?

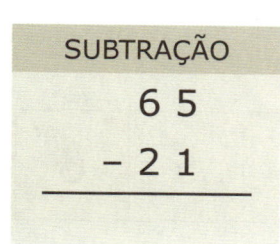

TINHA   GASTOU

SUBTRAÇÃO

6 5
- 2 1
_____

Resposta: Restaram _____ reais para Maria Clara fazer compras no açougue.

4 Na Chácara dos Caquis foram colhidos 98 caquis-chocolate. Na cooperativa da cidade foram vendidos 72 caquis-chocolate. Quantos desses caquis ainda restaram?

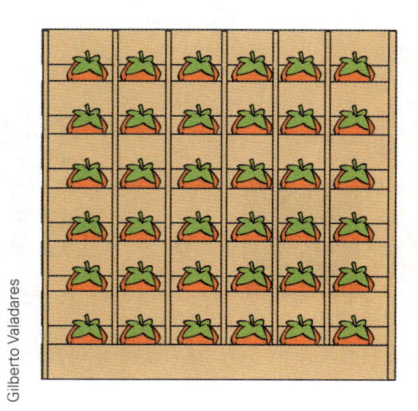

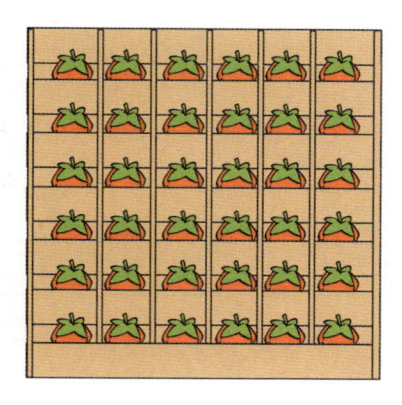

SUBTRAÇÃO

-
_____

Resposta: Restaram _____ caquis-chocolate.

41

9   O jogo do Cobre números

Agora que você já é uma "fera" na adição e na subtração, vamos jogar o Cobre números.

| 1 | 2 | 3 | 4 | 5 | 6 | 7 | 8 | 9 | 10 |

O jogo é para cobrir na tira de números a soma dos valores obtidos no lançamento de dois dados.

Por exemplo:

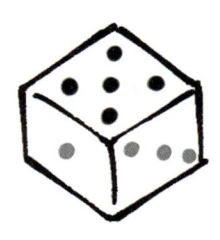

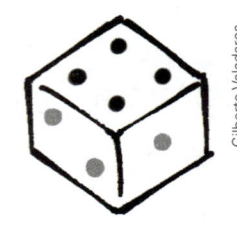

Você pode cobrir o 9, pois 5 + 4 = 9, assim:

| 1 | 2 | 3 | 4 | 5 | 6 | 7 | 8 | ■ | 10 |

Ou, se preferir, pode escolher cobrir duas casas, pensando em 1 + 8 = 9.

| ■ | 2 | 3 | 4 | 5 | 6 | 7 | ■ | 9 | 10 |

Ou pensar em 2 + 7 = 9.

| 1 | ■ | 3 | 4 | 5 | 6 | ■ | 8 | 9 | 10 |

Ou, ainda, pensar em 3 + 6 = 9.

| 1 | 2 | | 4 | 5 | | 7 | 8 | 9 | 10 |

Ou, quem sabe, em 4 + 5 = 9, como no início.

| 1 | 2 | 3 | | | 6 | 7 | 8 | 9 | 10 |

Porém, você terá que fazer uma e uma só dessas escolhas. Note que se o objetivo é cobrir todas as dez casas, seu sucesso dependerá da sorte ou azar nos lançamentos, mas, dependerá também de suas escolhas.

É um bom treinamento de seu raciocínio, pois, além de saber fazer contas você deve escolher a melhor maneira de usá-las.

Jogue com um amigo, ou com vários, basta ter uma tira dessas para cada jogador. Estabeleça regras para decidir quem começa o jogo, qual é a ordem para jogar e, também, para saber quem vence.

Uma sugestão: vence quem primeiro cobrir todas as casas de sua tira.

A verdade é que todos vencem no final, pois, melhoram seu raciocínio. E à medida que aprendem novos conceitos da matemática, criam regras mais complicadas e aí sua habilidade valerá muito mais que sua sorte!

UNIDADE 2

Alice conta segredos da matemática

Hoje vou contar uma curiosidade envolvendo raciocínio com letras.

Vamos lá! Trata-se de um jogo em que você pratica seu conhecimento das palavras. Por exemplo, vamos começar com palavras bem "pequenas", isto é, com poucas letras:

M A L

Forme uma nova palavra, também com três letras, trocando apenas uma das letras, por exemplo, trocando o L por U.

M A L
M A U

Partindo do **MAL**, tente chegar ao **BEM**. E, é claro, todas as palavras novas devem ser conhecidas.

Uma boa maneira de não termos dúvidas sobre a existência das palavras intermediárias é obedecermos a seguinte regra:

Somente são permitidas palavras que constam num dicionário de Língua Portuguesa.

Além de pensar bastante, que é um ótimo exercício de raciocínio, aprendemos novas palavras da nossa língua. Veja como foi possível ir do MAL para o BEM:

M A L
M A U
M A R
D A R
D O R
D O M
B O M
B E M

Eu sei que podíamos passar de MAL para MAR, mas a primeira transformação tem outro objetivo:

Para transformar um MAL em um BEM, talvez tenhamos que transformar um homem MAU em um homem BOM.

Esse e muitos outros desafios foram "inventados" por Lewis Carroll, que era o nome fantasia (pseudônimo) de Charles Dodgson – matemático inglês, que também foi fotógrafo e romancista, e que se tornou muito famoso com seu livro *Alice no país das Maravilhas*.

Charles Dodgson (Lewis Carroll).

1 Quero chegar a 100! Vamos contar!

ALICE, VOCÊ CONHECE AS HISTÓRIAS DE MALBA TAHAN?

CLARO QUE CONHEÇO! NO PAÍS DAS MARAVILHAS A GENTE SABE DE TUDO.
OS LIVROS DE MALBA TAHAN SÃO MARAVILHOSOS! E TUDO QUE É MARAVILHOSO EXISTE TAMBÉM EM MEU PAÍS.
VOU ATÉ RELEMBRAR UMA HISTÓRIA BEM INTERESSANTE SOBRE ESSE FAMOSO ESCRITOR BRASILEIRO.

Cibele Queiroz

A COLEÇÃO DE SAPINHOS DE MALBA TAHAN

O nome de batismo de Malba Tahan é Júlio César de Mello e Souza.
Malba Tahan quando era criança morava em Queluz, uma cidade do vale do rio Paraíba, em São Paulo, bem na divisa com o Rio de Janeiro. Sua casa ficava muito próxima do rio e o garoto Julinho adorava brincar com os sapinhos que apareciam no fundo de seu quintal. Nessas brincadeiras sempre estava acompanhado de Sultão, seu inseparável cão de guarda.

Julinho gostava tanto dos sapinhos que desde pequeno começou a colecionar miniaturas de sapo, de todo tipo e de diferentes materiais. Mesmo depois de adulto seus amigos continuaram a presenteá-lo com os sapinhos, alguns trazidos de países bem distantes.

Conheça, agora, alguns sapinhos da coleção de Malba Tahan:

Laureni Fochetto

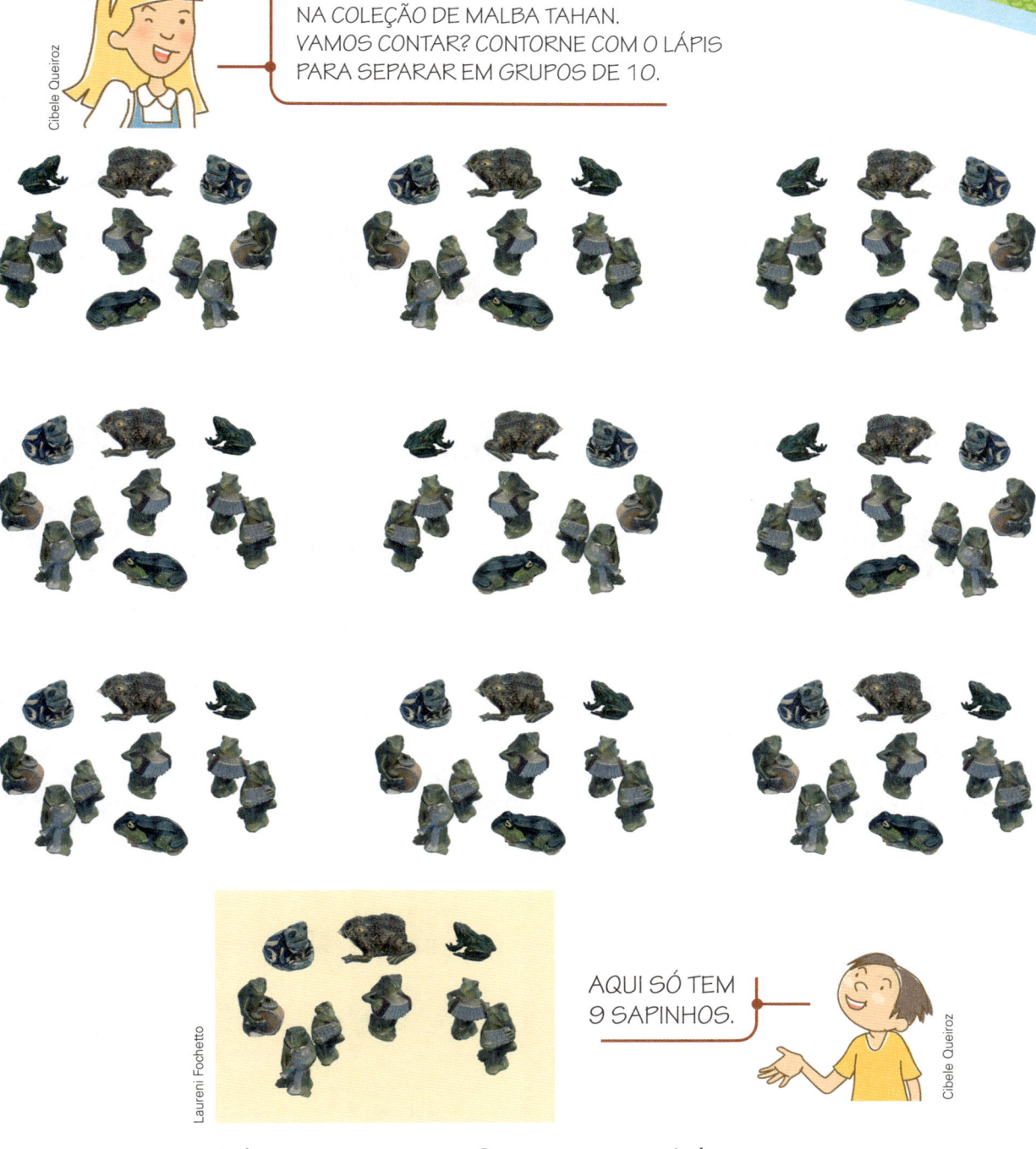

ACHO QUE HÁ MAIS DE 100 SAPINHOS NA COLEÇÃO DE MALBA TAHAN. VAMOS CONTAR? CONTORNE COM O LÁPIS PARA SEPARAR EM GRUPOS DE 10.

AQUI SÓ TEM 9 SAPINHOS.

Quantos sapinhos você contou? _____ sapinhos.
– Pinóquio, devolve aquele sapinho que você pegou para brincar.
– Pronto, pronto! Olha ele aqui.

COM MAIS 1, AGORA TEMOS 100.

10 grupos de 10 correspondem a 100 sapinhos.

47

Com Material dourado, vamos recordar a noção de **dezena** e conhecer também a **centena**.

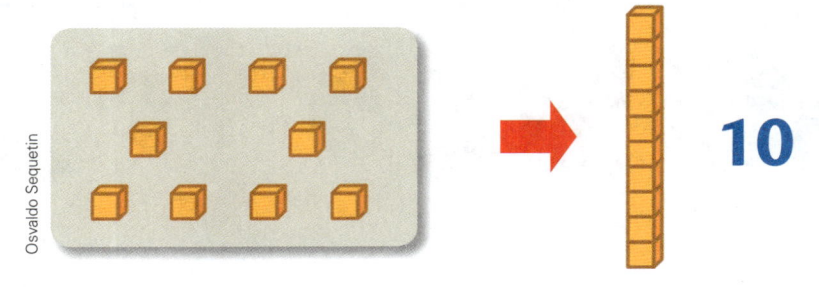

10 unidades simples correspondem a 1 dezena simples.

10 dezenas simples correspondem a 1 centena simples.

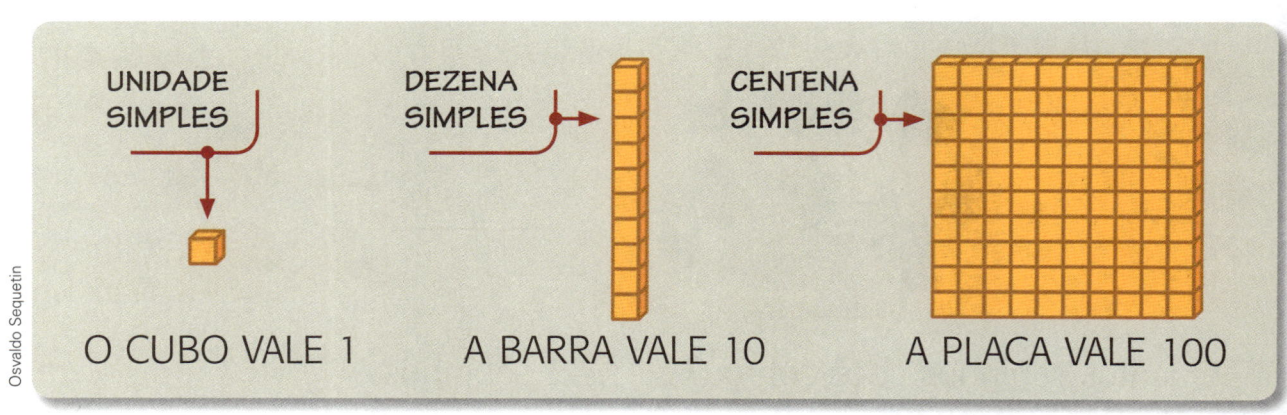

UNIDADE SIMPLES — O CUBO VALE 1

DEZENA SIMPLES — A BARRA VALE 10

CENTENA SIMPLES — A PLACA VALE 100

GOSTEI! VOU ADOTAR O CUBO, A BARRA E A PLACA COMO AS NOVAS "MOEDAS" DO PAÍS DAS MARAVILHAS.

PARA VOCÊ PENSAR... FAZER E DESCOBRIR

1 Sapinhos de Malba Tahan

1 Veja os sapinhos que os alunos da professora Cira Maria Sanches criaram usando malhas geométricas:

Só olhando, sem contar, quais desses sapinhos você estima que foram criados com mais de 100 pequenas figuras geométricas?

49

2 Crie você também figuras de sapinhos usando malhas geométricas.

2 Placas, barras e cubinhos

Qual é o número correspondente?

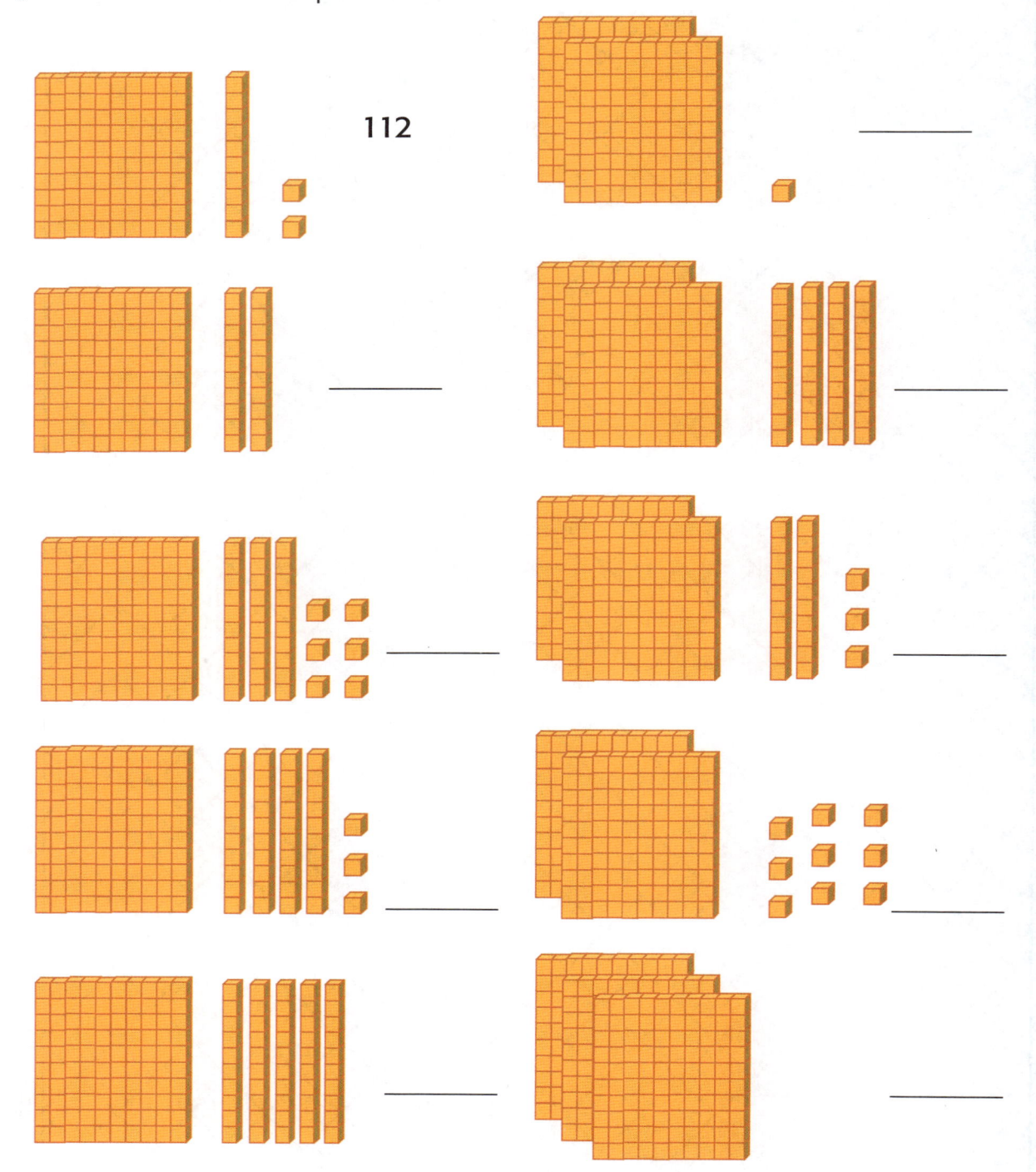

112

52

Osvaldo Sequetin

3 Reta de números

Complete cada reta numerada.

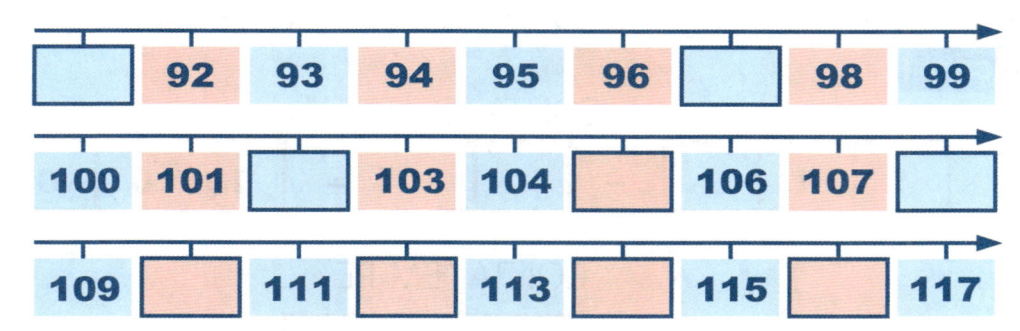

| | 92 | 93 | 94 | 95 | 96 | | 98 | 99 |

| 100 | 101 | | 103 | 104 | | 106 | 107 | |

| 109 | | 111 | | 113 | | 115 | | 117 |

4 Cada casa tem seu número

Descubra o número de cada casa de acordo com as pistas.

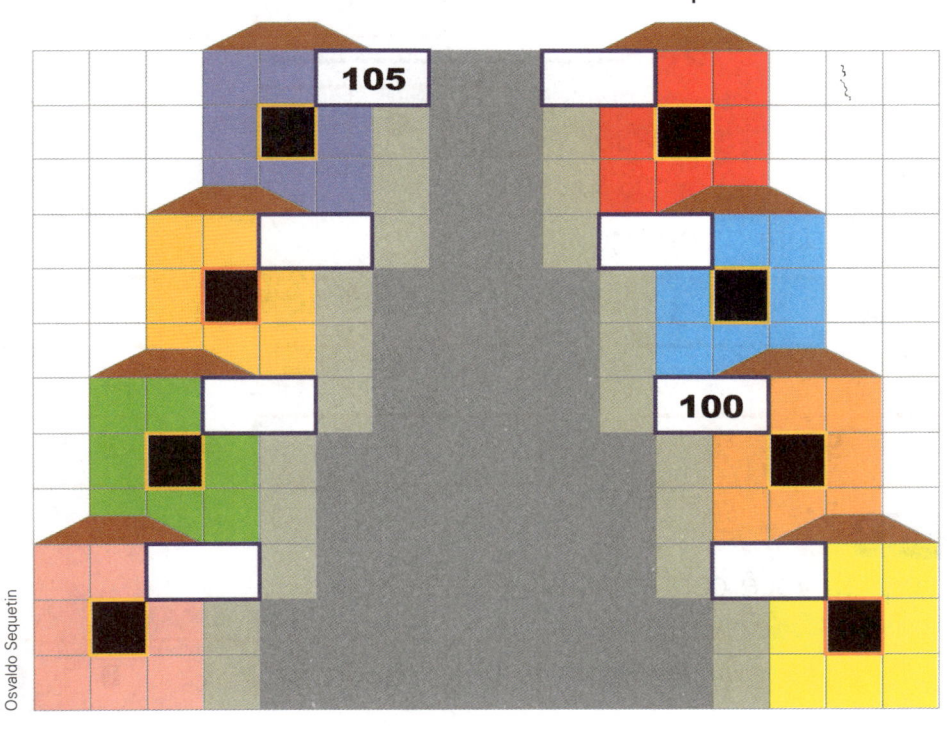

Pistas:

- As casas são numeradas de 98 a 105 (lado par e lado ímpar).
- A casa 102 é vizinha da casa 100.
- A casa 103 é vizinha da casa roxa.
- A casa rosa tem o menor desses números ímpares.
- A casa amarela tem o menor desses números pares.

5 Passatempo com 100

Consiga 100 com 5 algarismos iguais. Complete as soluções 1 e 2.

Solução 1

CONTA "DEITADA"

| 1 | 1 | 1 | – | | | = | 1 | 0 | 0 |

CONTA "EM PÉ"

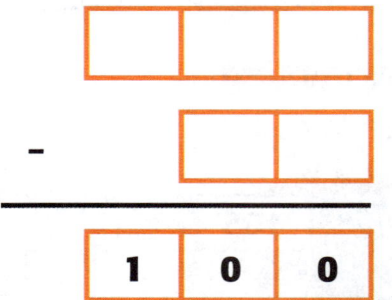

```
  □ □ □
-   □ □
  -------
  1 0 0
```

Solução 2

Pense do fim para o começo!

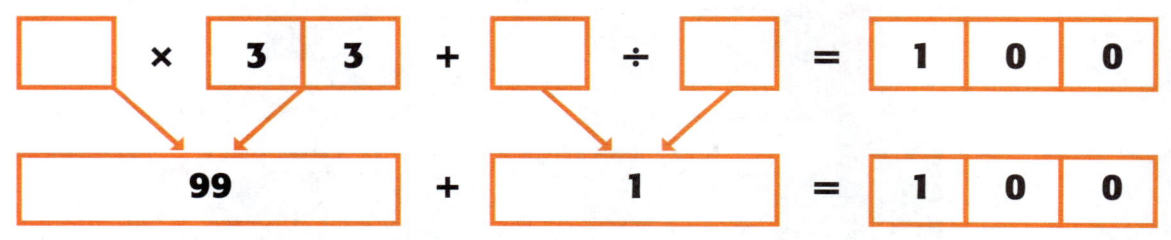

□ × 3 3 + □ ÷ □ = 1 0 0

99 + 1 = 1 0 0

Solução 3

Esta é só para você conhecer. Siga os passos:

5 × 20 = 100

5 × 5 × 4 = 100

5 × 5 × 5 – 1 = 100

5   5   5 – 5 ÷ 5   = 100

2 Ábaco com unidades, dezenas e centenas

Agora, com as casas das unidades, das dezenas e das **centenas** vamos formar outros números. Observe:

CENTENAS SIMPLES	DEZENAS SIMPLES	UNIDADES SIMPLES
C	D	U
1	4	3

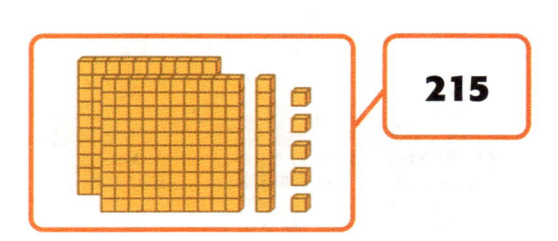

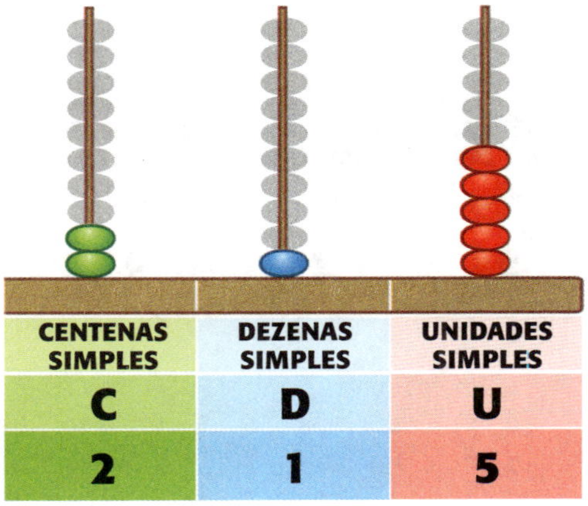

CENTENAS SIMPLES	DEZENAS SIMPLES	UNIDADES SIMPLES
C	D	U
2	1	5

Podemos também representar esses números no ábaco:

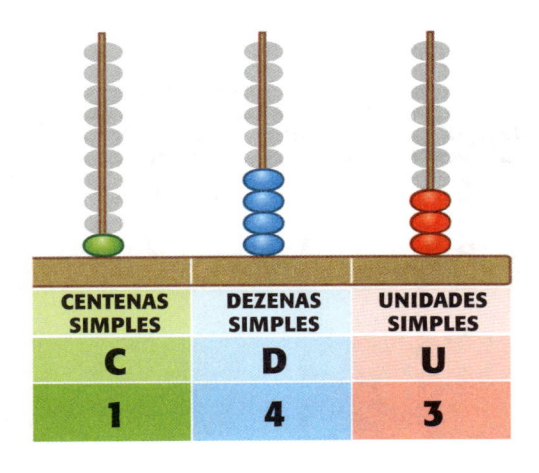

C D U representa a Classe das Unidades Simples.

U indica a "casa" de 1ª ordem.

D indica a "casa" de 2ª ordem.

C indica a "casa" de 3ª ordem.

PARA VOCÊ PENSAR... FAZER E DESCOBRIR

1 Observe cada ábaco e escreva o número correspondente.

CENTENAS SIMPLES	DEZENAS SIMPLES	UNIDADES SIMPLES
C	D	U

CENTENAS SIMPLES	DEZENAS SIMPLES	UNIDADES SIMPLES
C	D	U

2 Observe cada número e pinte o ábaco correspondente.

CENTENAS SIMPLES	DEZENAS SIMPLES	UNIDADES SIMPLES
C	D	U
5	2	4

CENTENAS SIMPLES	DEZENAS SIMPLES	UNIDADES SIMPLES
C	D	U
8	0	7

CENTENAS SIMPLES	DEZENAS SIMPLES	UNIDADES SIMPLES
C	D	U
6	1	0

CENTENAS SIMPLES	DEZENAS SIMPLES	UNIDADES SIMPLES
C	D	U
9	9	9

3 Complete de acordo com a figura.

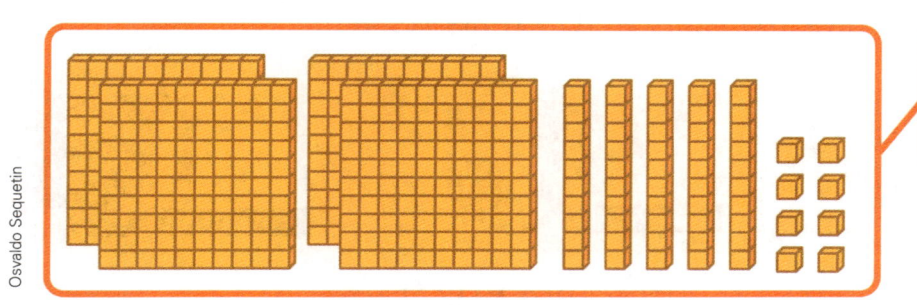

458

CENTENAS SIMPLES	DEZENAS SIMPLES	UNIDADES SIMPLES
C	D	U

Representação no ábaco:

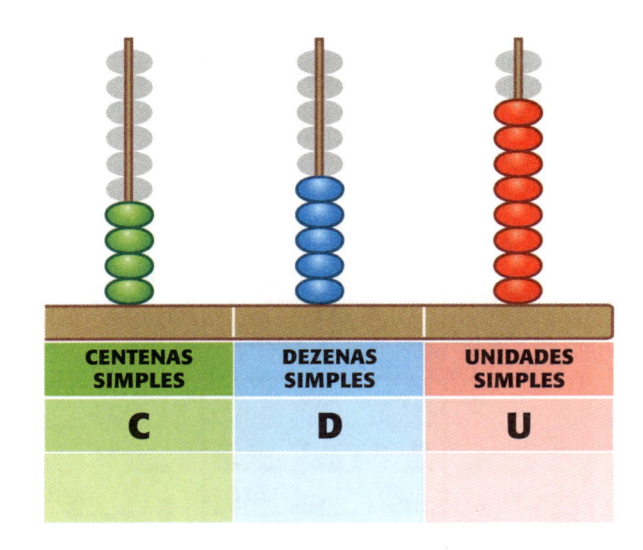

CENTENAS SIMPLES	DEZENAS SIMPLES	UNIDADES SIMPLES
C	D	U

4 5 8 é uma representação na Classe das Unidades Simples.

8 indica a "casa" de _____ ordem.

5 indica a "casa" de _____ ordem.

4 indica a "casa" de _____ ordem.

4 Um exemplo de aplicação das ideias de unidade, dezena e centena são as cédulas de 1 real, 10 reais e 100 reais.

Leia, observe e escreva a quantia em reais.

CENTO E CINQUENTA E NOVE REAIS	100	10 10 10 10 10	1 1 1 1 1 1 1 1 1	_____ reais
DUZENTOS E SESSENTA E OITO REAIS	100 100	10 10 10 10 10 10	1 1 1 1 1 1 1 1	_____ reais
TREZENTOS E SETENTA E SETE REAIS	100 100 100	10 10 10 10 10 10 10	1 1 1 1 1 1 1	_____ reais
QUATROCENTOS E OITENTA E SEIS REAIS	100 100 100 100	10 10 10 10 10 10 10 10	1 1 1 1 1 1	_____ reais
QUINHENTOS E NOVENTA E CINCO REAIS	100 100 100 100 100	10 10 10 10 10 10 10 10 10	1 1 1 1 1	_____ reais
SEISCENTOS E CATORZE REAIS	100 100 100 100 100 100	10	1 1 1 1	_____ reais

As figuras das células não estão em proporção entre si.

5 Algarismos romanos para 1, 5, 10, 50, 100 e 500

Você conheceu no volume 1 os algarismos romanos para 1, 5, 10 e 50, agora vamos empregar também os algarismos romanos que correspondem a 100 e 500.

I	V	X	L
1	5	10	50

C	D
100	500

Situação 1

Conforme exemplos das tabelas a seguir, os algarismos romanos podem ser colocados à direita de outro. Nesse caso, é preciso **adicionar** seus valores. Complete:

ALGARISMO ROMANO	ADIÇÃO
II	1 + 1 = 2
	1 + 1 + 1 = 3
VI	
VII	5 + 1 + 1 = 7
	5 + 1 + 1 + 1 = 8
XI	
	10 + 1 + 1 = 12
XIII	10 + 1 + 1 + 1 =
XV	
	10 + 5 + 1 = 16
XVII	
XVIII	10 + 5 + 1 + 1 + 1 =

ALGARISMO ROMANO	ADIÇÃO
	10 + 10 = 20
XXI	
XXV	10 + 10 + 5 =
	10 + 10 + 5 + 1 + 1 = 27
XXX	
LI	50 + 1 =
LV	
	50 + 10 = 60
CXXI	
CLXVI	100 + 50 + 10 + 5 + 1 =
	500 + 10 = 510
DLV	500 + 50 + 5 =

Há outros exemplos não apresentados nessas tabelas.

Os algarismos I, X e C, que você já conhece, podem repetir até 3 vezes.

Situação 2

Conforme as tabelas a seguir, os algarismos romanos I, X e C podem ser colocados à esquerda de outro (de maior valor). Nesse caso, é preciso **subtrair** o de menor valor do de maior valor. Complete:

ALGARISMO ROMANO	SUBTRAÇÃO
IV	5 – 1 =
IX	
XL	50 – 10 =

ALGARISMO ROMANO	SUBTRAÇÃO
XC	100 – 10 =
CD	

Situação 3 Como curiosidade!

Exemplos combinando adição e subtração, para seu conhecimento.

ALGARISMO ROMANO	ADIÇÃO E SUBTRAÇÃO
XIV	10 + (5 – 1) = 14
XIX	10 + (10 – 1) = 19
XXIV	20 + (5 – 1) = 24
XXIX	20 + (10 – 1) = 29
XLIV	40 + (5 – 1) = 44
XLIX	40 + (10 – 1) = 49

ALGARISMO ROMANO	ADIÇÃO E SUBTRAÇÃO
LXIV	60 + (5 – 1) = 64
LXXIX	70 + (10 – 1) = 79
XCIV	90 + (5 – 1) = 94
XCIX	90 + (10 – 1) = 99
CDIV	400 + (5 – 1) = 404
DCIV	600 + (5 – 1) = 604

Há outros exemplos não apresentados nessas tabelas.

6 "Camisetas romanas"

Relacione as camisetas com algarismos romanos e suas correspondentes com algarismos indo-arábicos.

CXXI   XCIX   CD

400   121   99

3 Blocos e pirâmides

Bloco retangular

Este paralelepípedo é um bloco retangular:

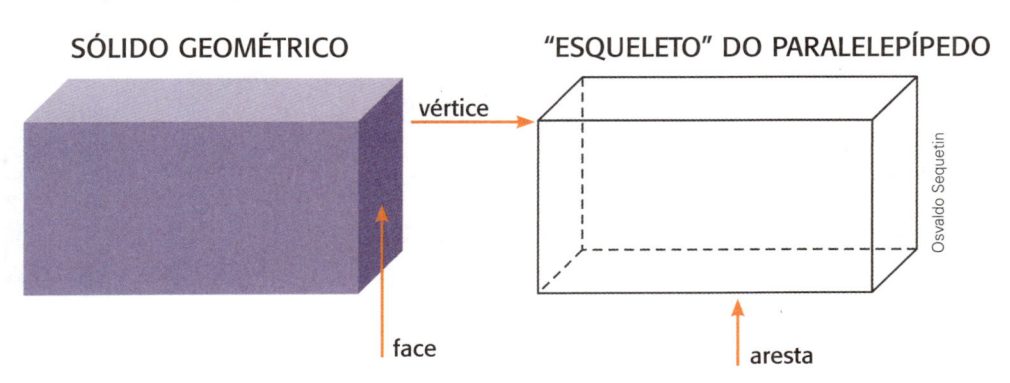

SÓLIDO GEOMÉTRICO — "ESQUELETO" DO PARALELEPÍPEDO

vértice

face

aresta

Cubo

O cubo também é um bloco, mas suas 6 faces têm formato quadrado.

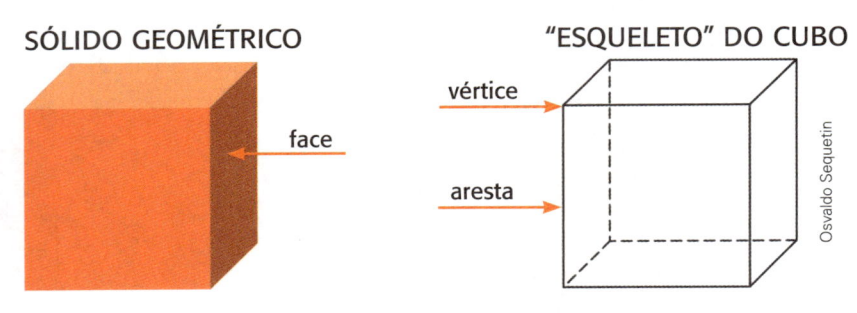

SÓLIDO GEOMÉTRICO — "ESQUELETO" DO CUBO

face

vértice

aresta

Algumas embalagens têm a forma de paralelepípedo e, também, de cubo. Nesse caso, ao desmontar essas embalagens, obtemos figuras planificadas:

PLANIFICAÇÃO DO PARALELEPÍPEDO   PLANIFICAÇÃO DO CUBO

Experimente! Desmonte embalagens com esses formatos.

Pirâmide

A pirâmide é uma forma conhecida em quase todas as regiões da Terra. Uma pirâmide é um sólido geométrico que tem uma base (por exemplo, com a forma quadrada etc.) e que tem faces laterais com a forma triangular.

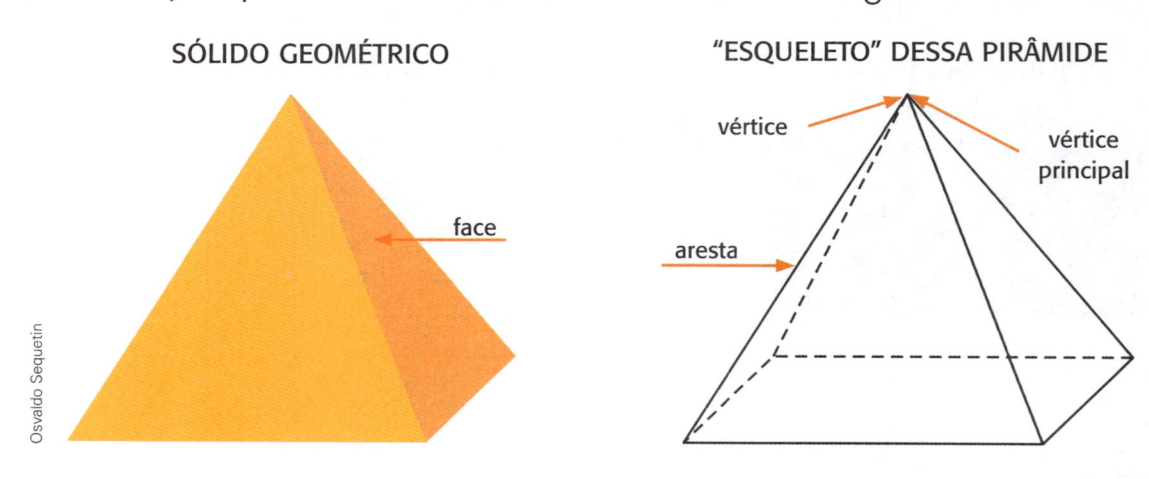

SÓLIDO GEOMÉTRICO

face

"ESQUELETO" DESSA PIRÂMIDE

vértice

vértice principal

aresta

PLANIFICAÇÃO DA PIRÂMIDE DE BASE COM A FORMA QUADRADA

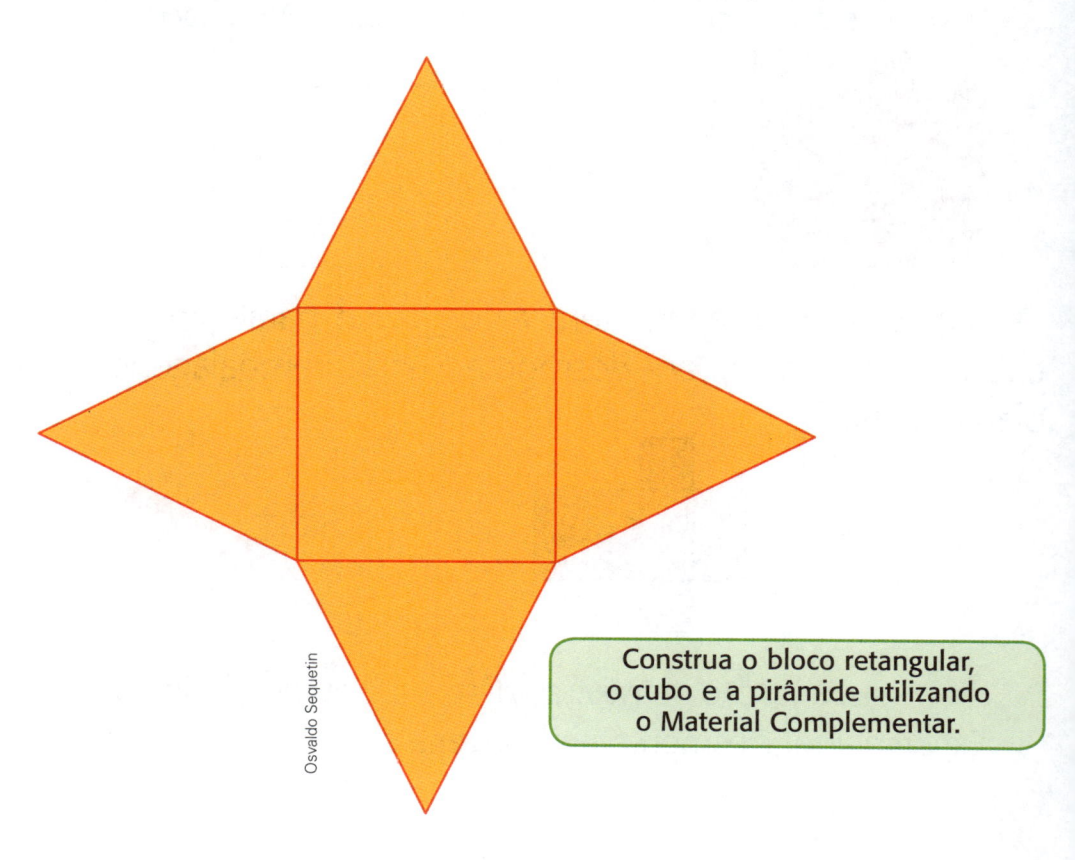

Construa o bloco retangular, o cubo e a pirâmide utilizando o Material Complementar.

PARA VOCÊ PENSAR... FAZER E DESCOBRIR

1 Figuras em jornais e revistas

1 Recorte e cole aqui figuras com a forma de blocos retangulares.

2 Recorte e cole aqui figuras com a forma de cubos.

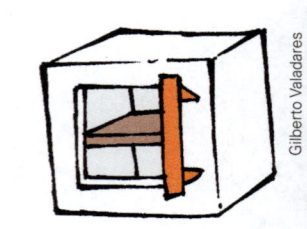

3 Recorte e cole aqui figuras com a forma de pirâmides.

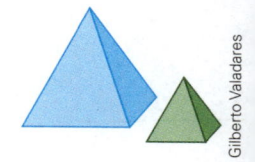

4 Curiosidades numéricas

UMA HISTÓRIA COM PALAVRAS E NÚMEROS

O letreiro do pintor

Um pintor de origem portuguesa, estabelecido em uma pequena cidade do Brasil, para chamar a atenção do público, colocou na porta de seu estabelecimento este letreiro:

VINTE E DOIS PÊS

Vendo o curioso letreiro, o prefeito da cidade pediu para o pintor explicar o significado daquela frase. O pintor explicou que se tratava de seu nome e tudo o que ele pintava:

"Pedro Paulo Pereira Pinto Peixoto, pobre pintor português; pinto palácios, portões, paredes, pilares, panos, painéis, pilastras, paisagens, pirâmides, panoramas."

O prefeito contou as palavras e retrucou:
— Mas são apenas 19 palavras começando por P. Faltam três!
O pintor, calmamente, acrescentou:
"Por pouco preço."

Texto adaptado. Disponível em: http://www.jangadabrasil.com.br/outubro38/ca38100d.htm Acesso em: 1 maio 2008.

UM JOGO INTERESSANTE COM CAIXA DE FÓSFOROS

Caixinha

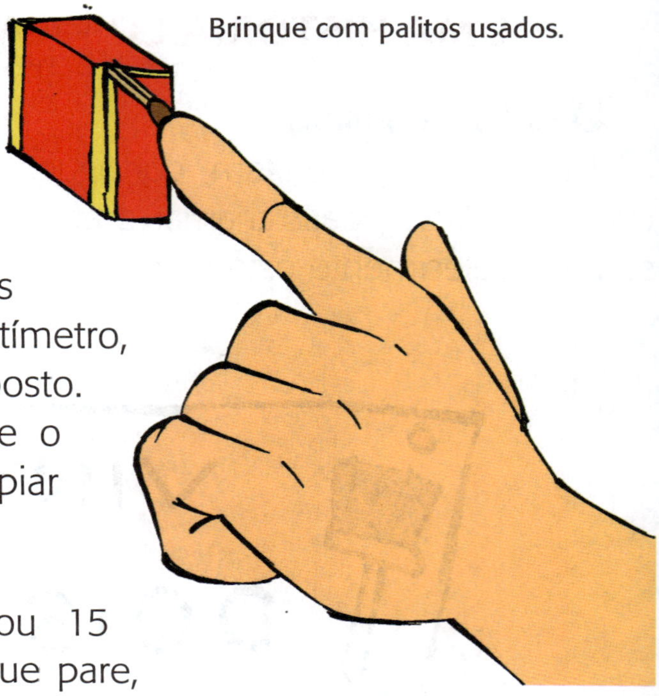

Este é um jogo divertido, muito difundido e ainda de uso corrente em muitas regiões.

Enfia-se um palito ao longo do lado de uma caixa de fósforos vazia, deixando aparecer apenas uma pontinha com cerca de um centímetro, e deita-se a caixa sobre o lado oposto. Com o dedo indicador, impele-se o fósforo para baixo, fazendo-a rodopiar e saltar.

Brinque com palitos usados.

O jogador ganha 1, 5, 10 ou 15 pontos, conforme a posição em que pare, como indicado no desenho, e continua jogando até errar, quando então cede a vez a outro.

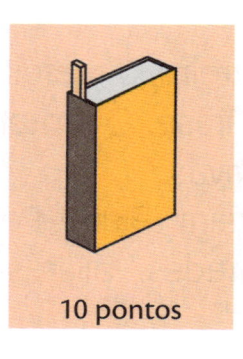

| 1 ponto | 5 pontos | 10 pontos | 15 pontos |

Combina-se previamente o total de cada partida, vencendo aquele que primeiro realizá-lo.

Rodas, brincadeiras e costumes, Ana Augusta Rodrigues, Editora Plurarte, 1984.
Disponível em: http://www.jangadabrasil.com.br/agosto/ca12080e.htm
Acesso em: 1 maio 2008.

5 Simetria com dobradura e recorte

Para entender a ideia de simetria vamos propor uma atividade com papel dobradura. Acompanhe as etapas:

Etapa 1 Pegue uma folha de papel dobradura do Material Complementar e dobre-a ao meio como mostra a ilustração.

POSIÇÃO DA DOBRA

Etapa 2 A partir da linha da dobra, faça um desenho qualquer. Recorte como mostra a figura.

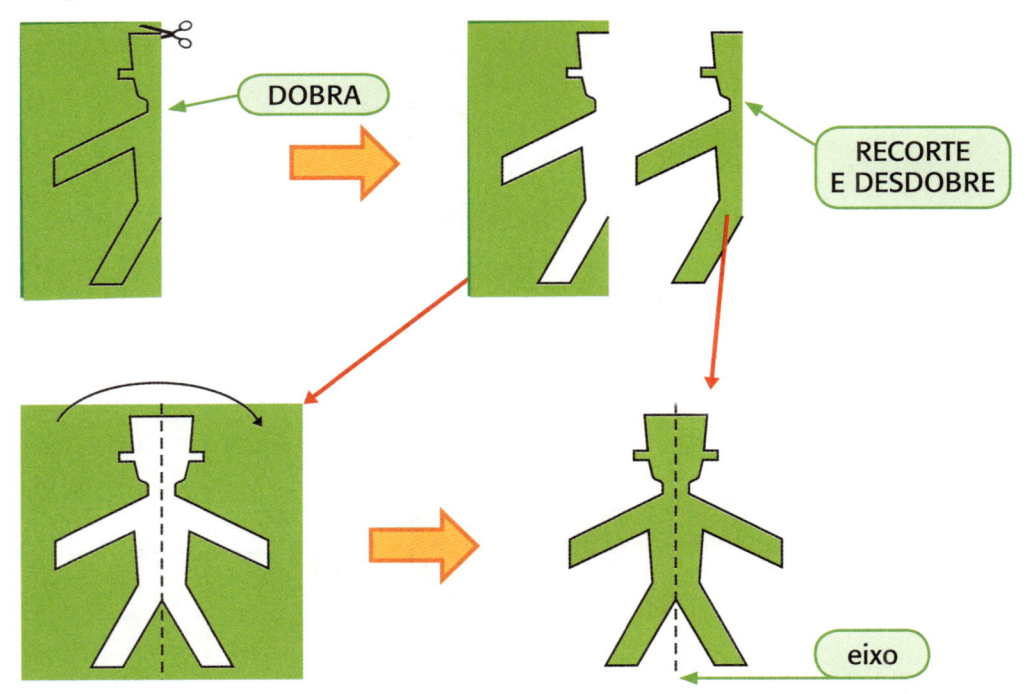

DOBRA

RECORTE E DESDOBRE

eixo

ESTA FIGURA É **SIMÉTRICA**, POIS, AO DOBRAR NA LINHA TRACEJADA (EIXO), OS LADOS ESQUERDO E DIREITO DA FIGURA SE SOBREPÕEM.

PARA VOCÊ PENSAR... FAZER E DESCOBRIR

1 Complete a figura no papel quadriculado, aplicando a ideia de simetria.

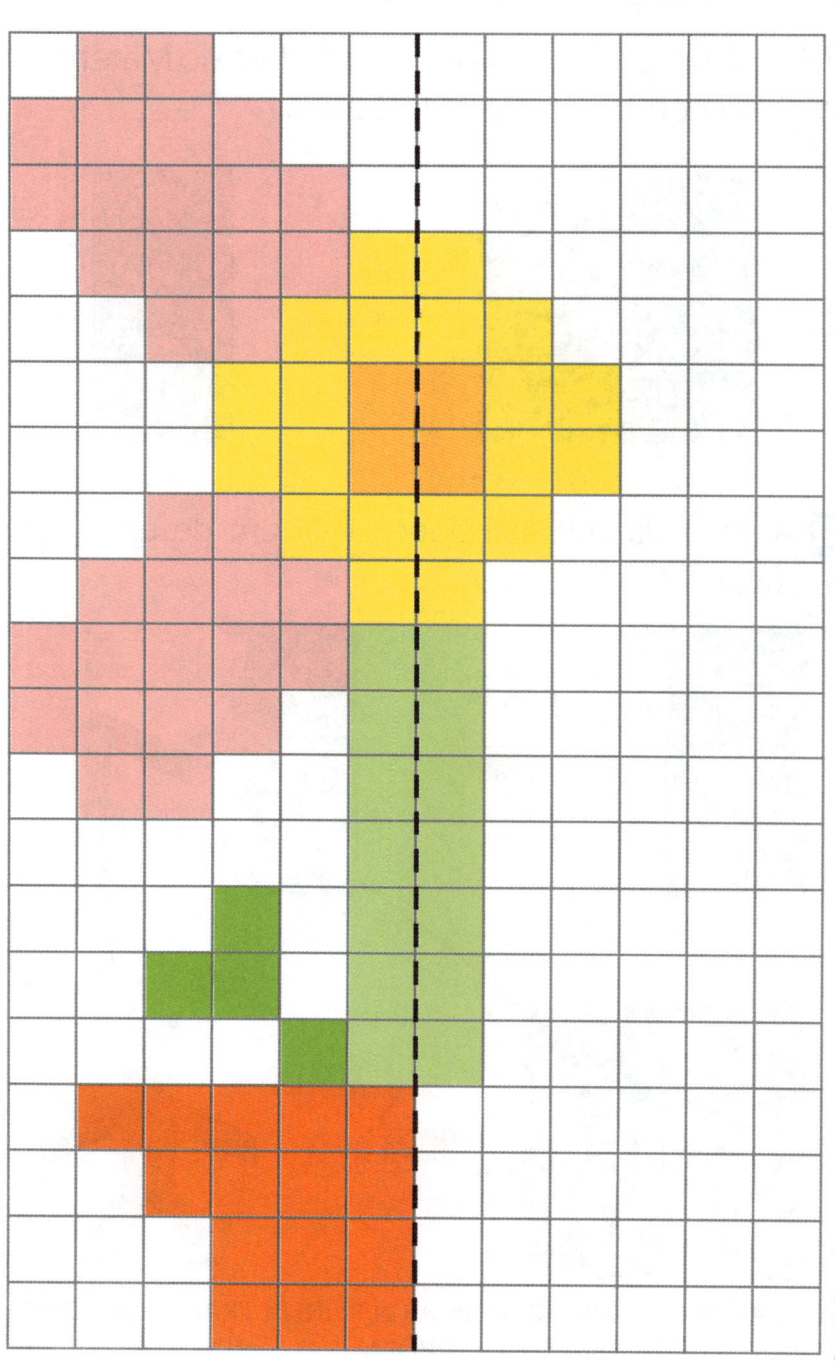

Osvaldo Sequetin

2 Termine de pintar cada figura simétrica.

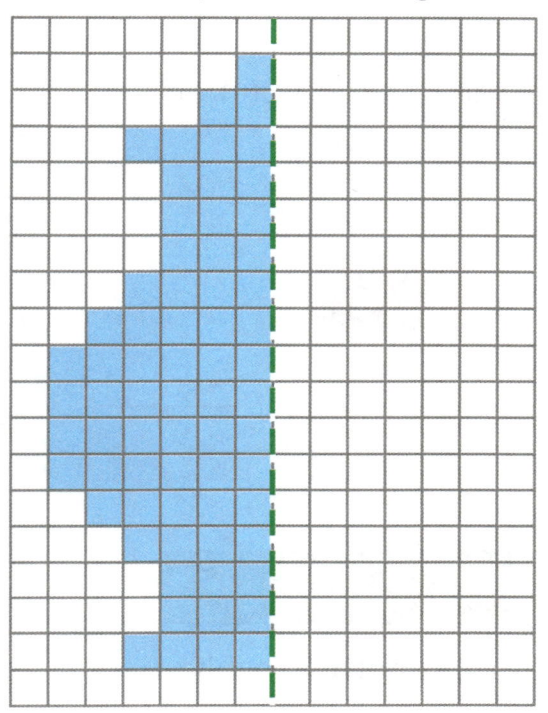

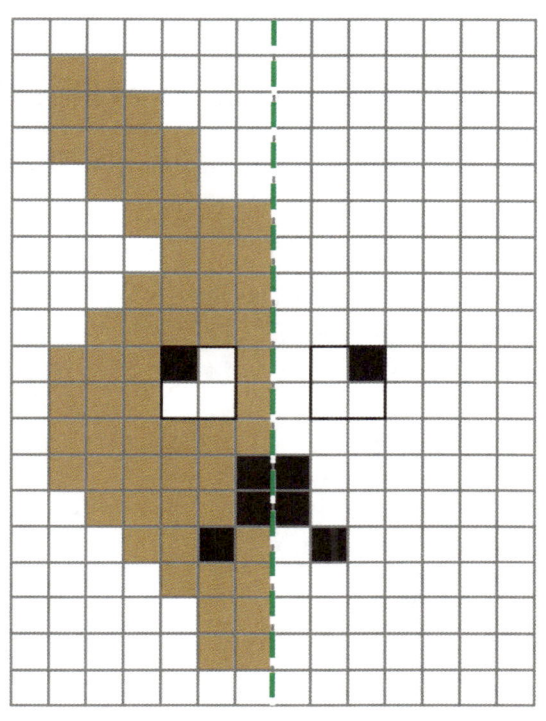

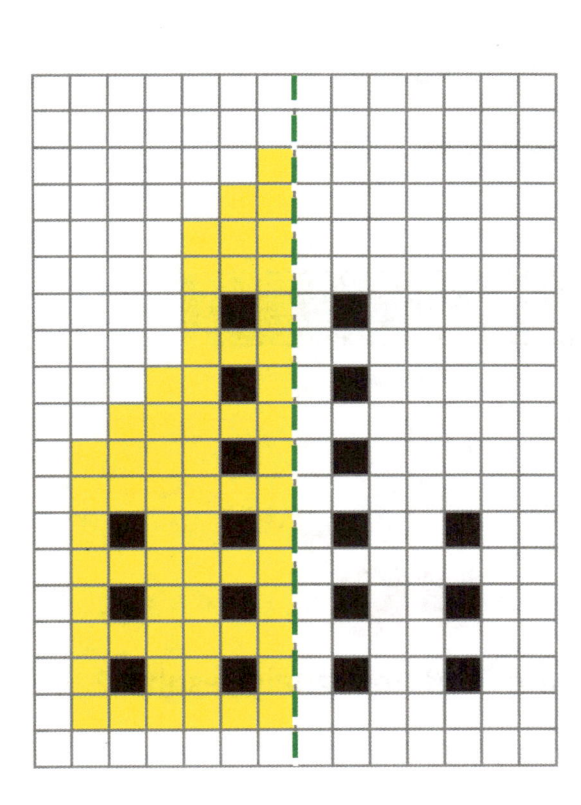

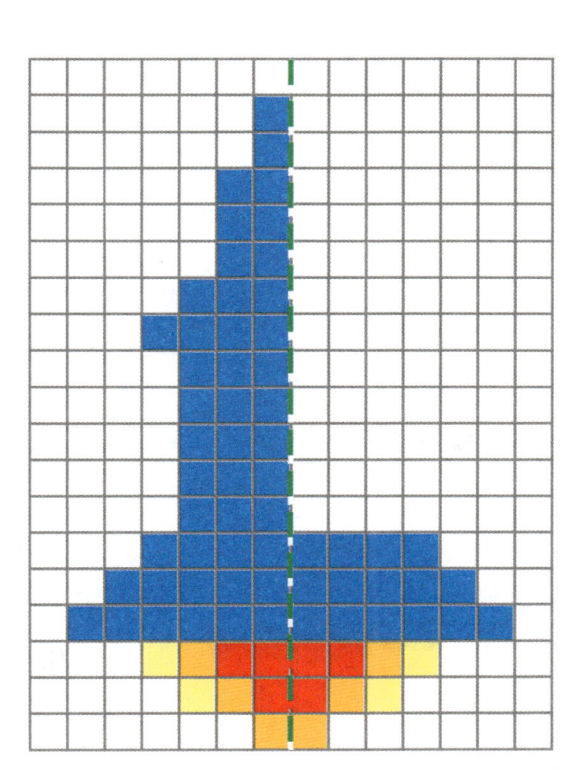

Osvaldo Sequetin

69

6 Primeiras ideias de multiplicação e divisão

Observe as ideias de multiplicar e dividir vistas no primeiro ano.

Vamos multiplicar?

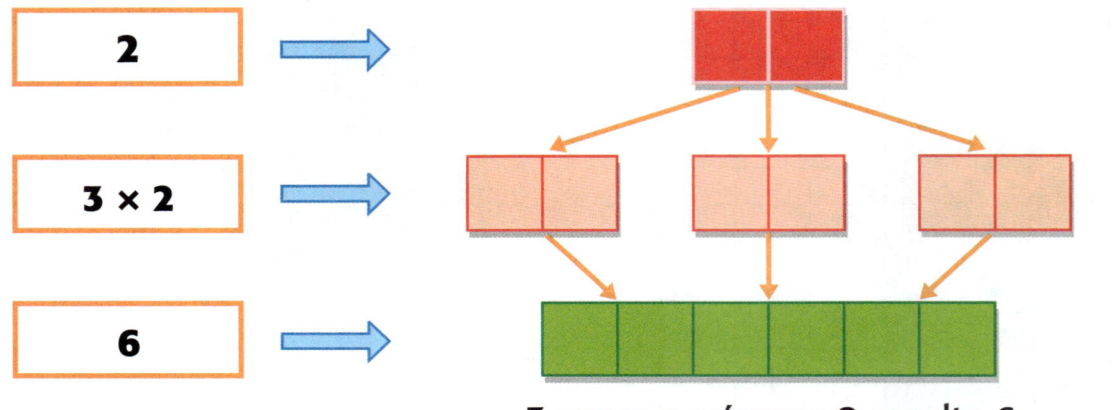

2

3 × 2

6

3 vezes o número 2 resulta 6.

A divisão faz o inverso!

Vamos dividir?

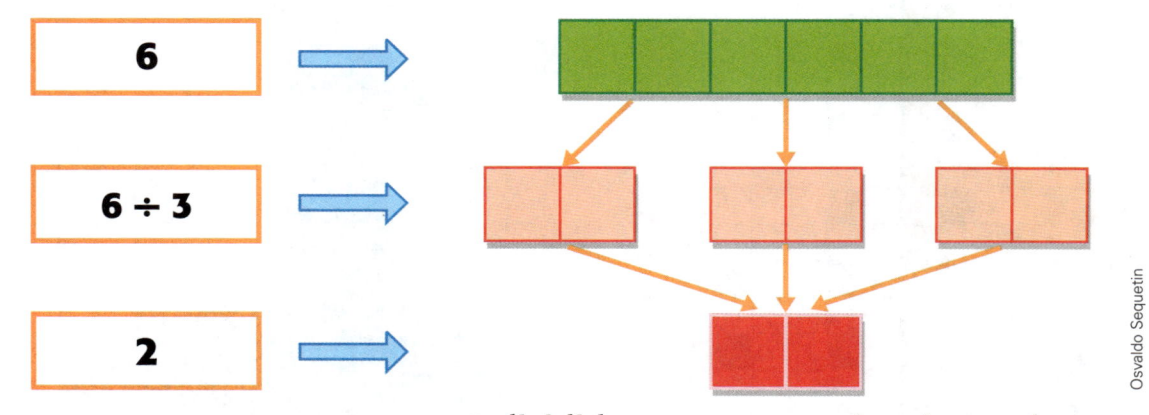

6

6 ÷ 3

2

6 dividido em 3 partes iguais resulta 2.

Exemplos de multiplicação com a brincadeira da balança, usando barrinhas de valores iguais.

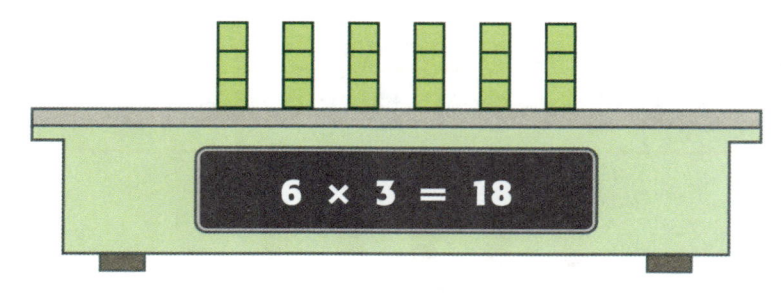

6 × 3 = 18

Agora, brinque de multiplicar também!

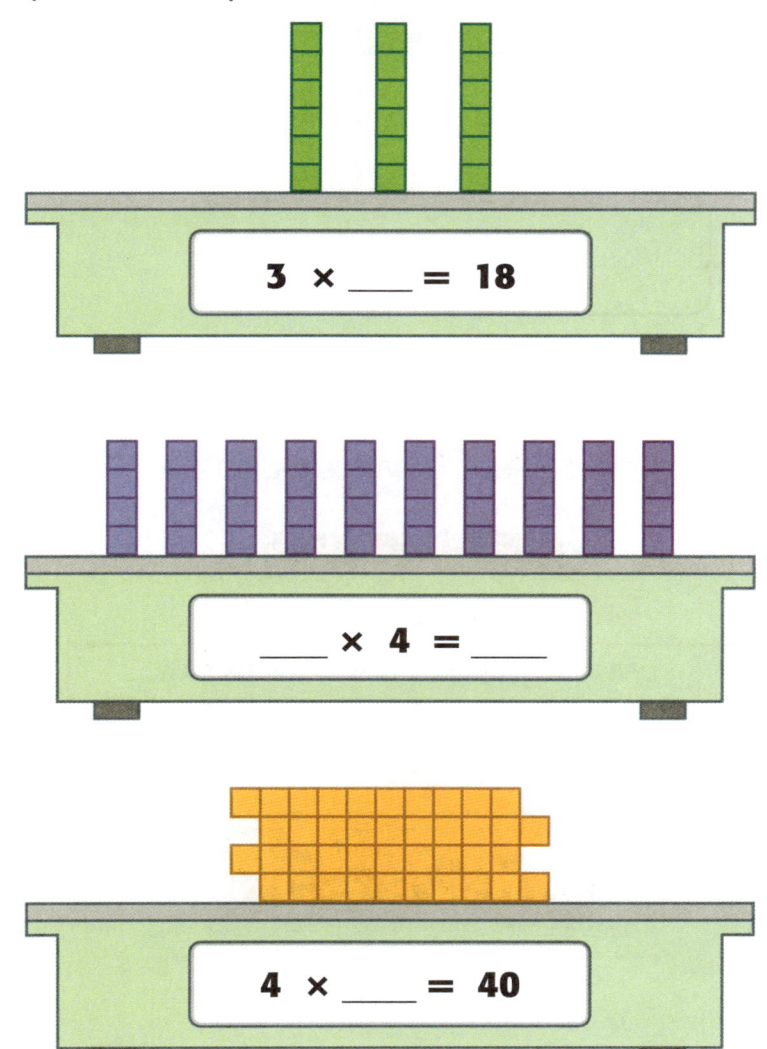

3 × ___ = 18

___ × 4 = ___

4 × ___ = 40

A partir da multiplicação, veja como representar uma divisão com barrinhas:

Exemplo 1 A adição de 5 partes iguais a 2 resulta 10.

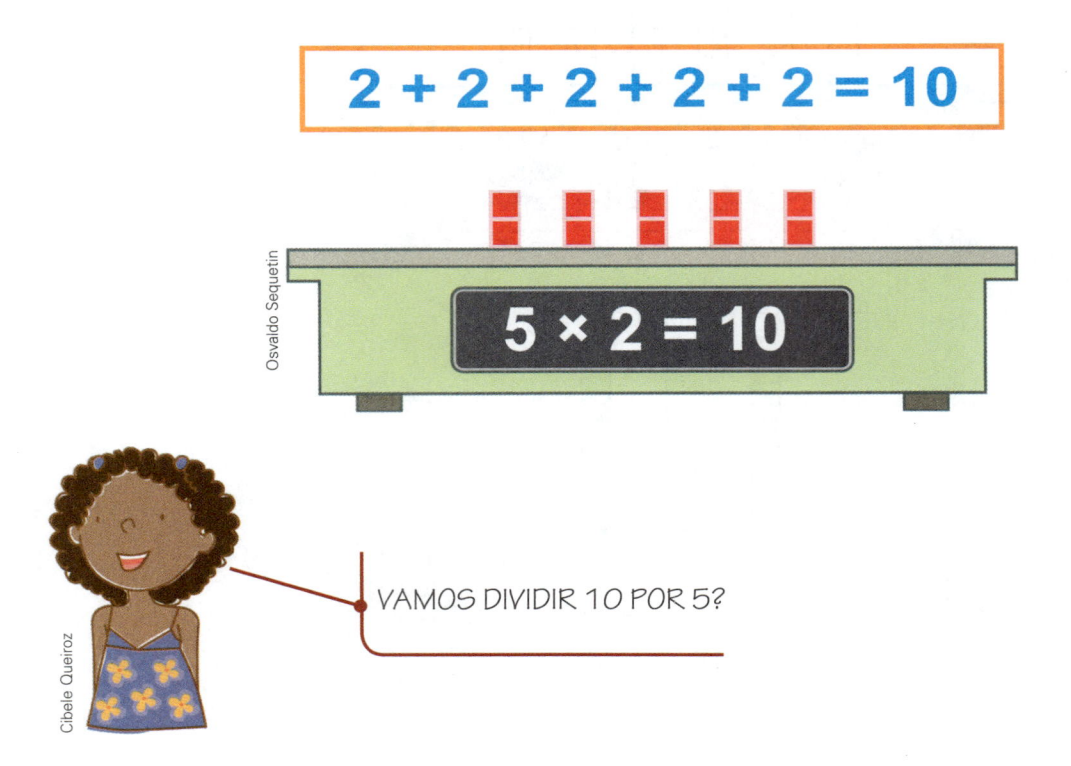

$$2 + 2 + 2 + 2 + 2 = 10$$

$$5 \times 2 = 10$$

VAMOS DIVIDIR 10 POR 5?

Pode-se dividir o 10 "subtraindo" 5 partes iguais a 2.

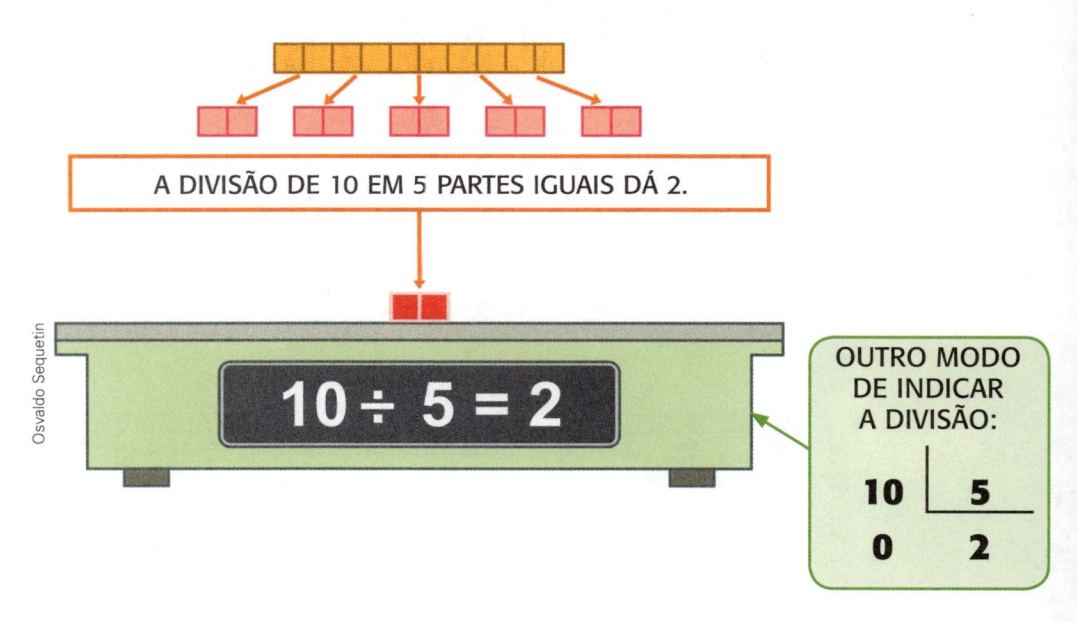

A DIVISÃO DE 10 EM 5 PARTES IGUAIS DÁ 2.

$$10 \div 5 = 2$$

OUTRO MODO DE INDICAR A DIVISÃO:

10	5
0	2

Exemplo 2 A adição de 2 partes iguais a 5 resulta 10.

$$5 + 5 = 10$$

$$2 \times 5 = 10$$

VAMOS DIVIDIR 10 POR 2?

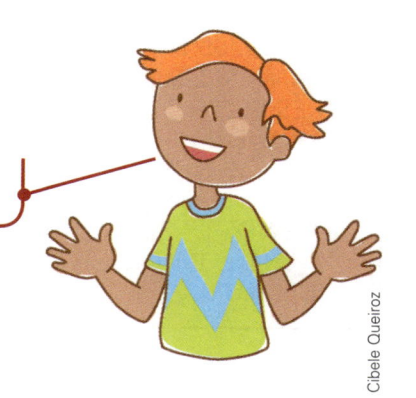

Pode-se dividir o 10 "subtraindo" 2 partes iguais a 5.

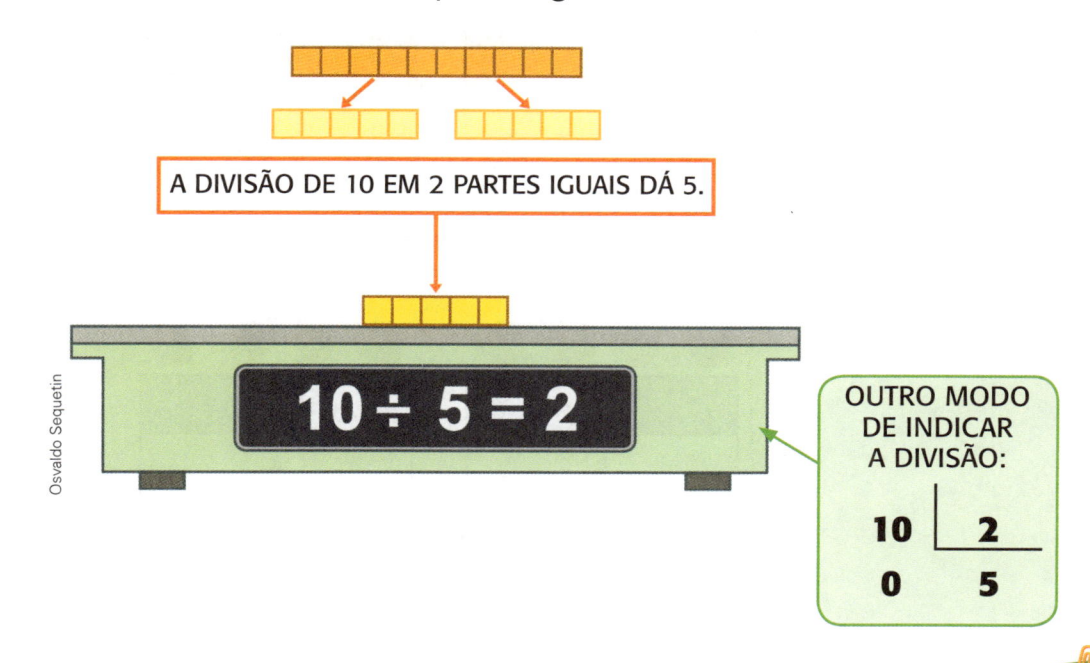

A DIVISÃO DE 10 EM 2 PARTES IGUAIS DÁ 5.

$$10 \div 5 = 2$$

OUTRO MODO DE INDICAR A DIVISÃO:

10	2
0	5

PARA VOCÊ PENSAR... FAZER E DESCOBRIR

1 Multiplicar e dividir

Vamos multiplicar?

2 2 2 2

4 × 2 = _____

8 é o produto

Vamos dividir?

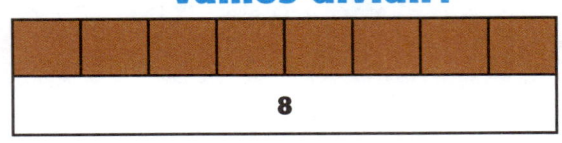

8

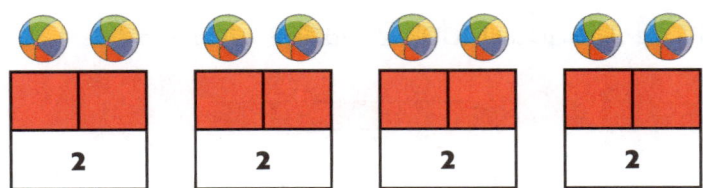

2 2 2 2

8 ÷ 4 = _____

2 é o quociente

ou

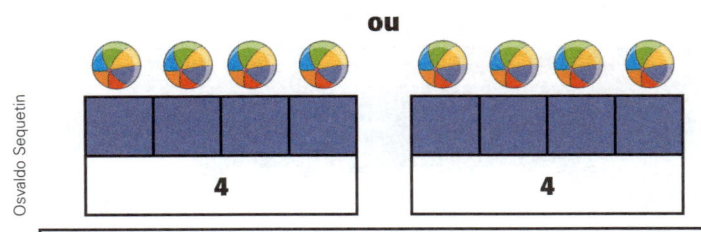

4   4

8 ÷ 2 = _____

4 é o quociente

TRÊS VEZES NOVE
VINTE E SETE
TRÊS VEZES SETE
VINTE E UM
MENOS NOVE
FICAM DOZE
MENOS ONZE
FICA UM
ZUM, ZUM, ZUM

Osvaldo Sequetin

1 Efetue as multiplicações e divisões.

7 × 3 = ____   21 ÷ 7 = ____

3 × 7 = ____   21 ÷ 3 = ____

6 × 5 = ____   30 ÷ 6 = ____

5 × 6 = ____   30 ÷ 5 = ____

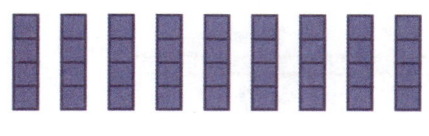

9 × 4 = ____   36 ÷ 9 = ____

4 × 9 = ____   36 ÷ 4 = ____

10 × 2 = ____   20 ÷ 10 = ____

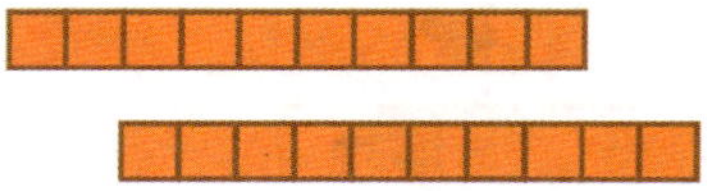

2 × 10 = ____   20 ÷ 2 = ____

2 Escreva as multiplicações e as divisões.

Dê os resultados oralmente. Exemplos: 2 × 3 = **6** e 6 ÷ 2 = **3**.

Vamos fazer pilhas de 2?

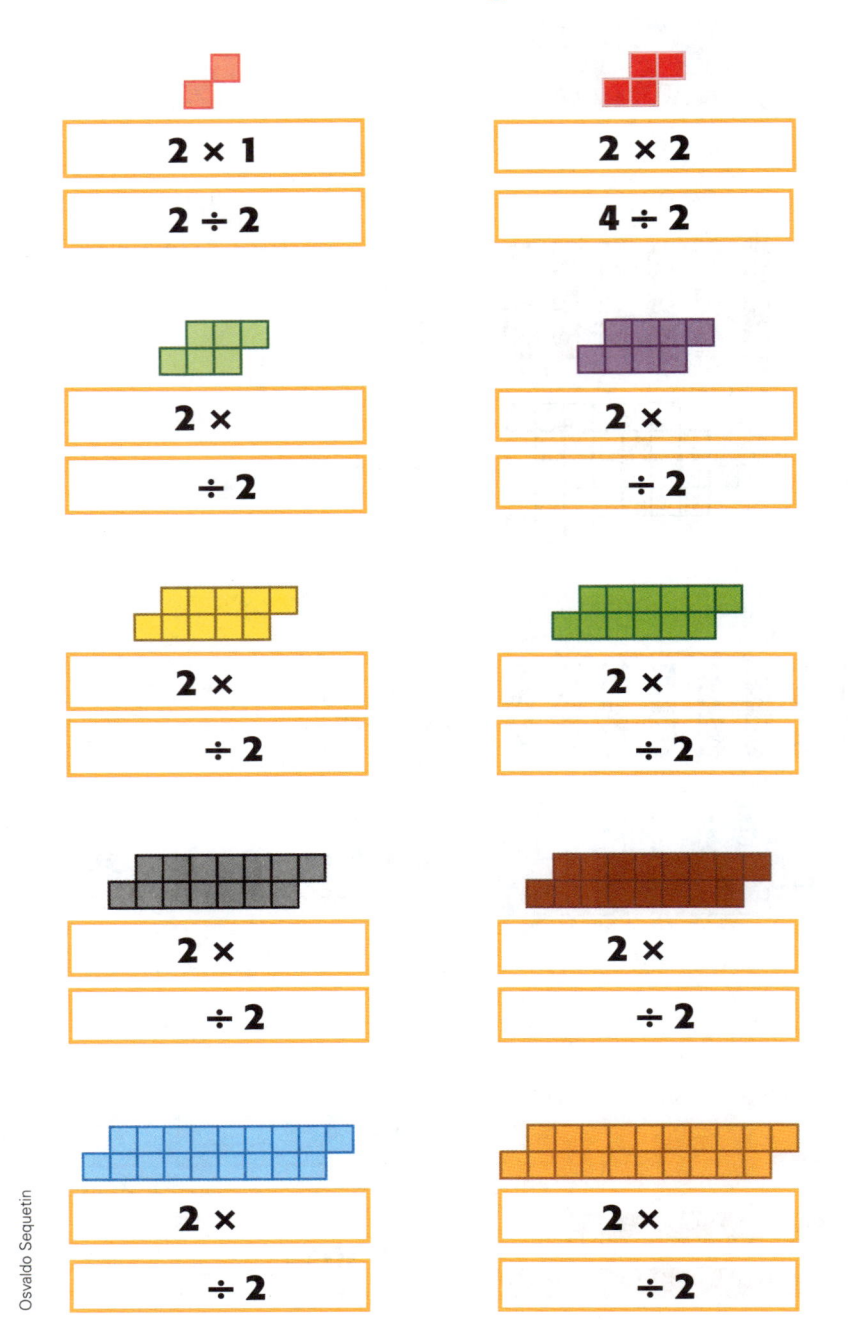

2 × 1	2 × 2
2 ÷ 2	4 ÷ 2

2 ×	2 ×
÷ 2	÷ 2

2 ×	2 ×
÷ 2	÷ 2

2 ×	2 ×
÷ 2	÷ 2

2 ×	2 ×
÷ 2	÷ 2

Vamos fazer pilhas de 3?

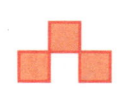

| 3 × 1 | 3 × 2 |
| 3 ÷ 3 | ÷ 3 |

| 3 × 3 | 3 × |
| ÷ 3 | ÷ 3 |

| 3 × | 3 × |
| ÷ 3 | ÷ 3 |

| 3 × | 3 × |
| ÷ 3 | ÷ 3 |

| 3 × | 3 × |
| ÷ 3 | ÷ 3 |

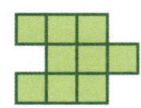

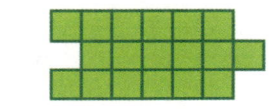

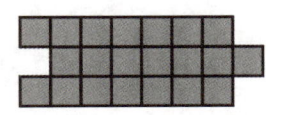

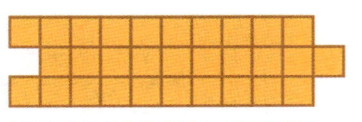

Osvaldo Sequetin

Vamos fazer pilhas de 4?

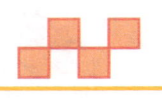

4 × 1	4 × 2
4 ÷ 4	÷ 4

4 × 3	4 ×
÷ 4	÷ 4

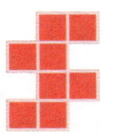

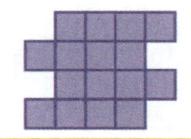

4 ×	4 ×
÷ 4	÷ 4

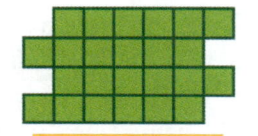

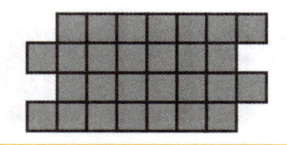

4 ×	4 ×
÷ 4	÷ 4

4 ×	4 ×
÷ 4	÷ 4

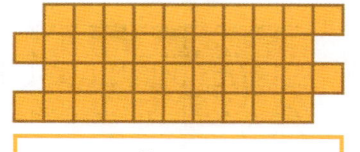

Osvaldo Sequetin

3 Multiplicação como organização retangular

Observe:

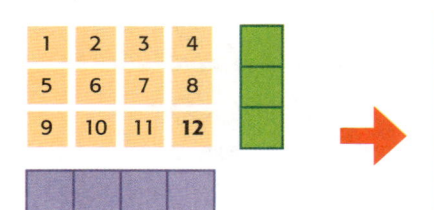

Esta organização retangular de 12 unidades, com largura 4 e altura 3, mostra que:

$$4 \times 3 = 12$$

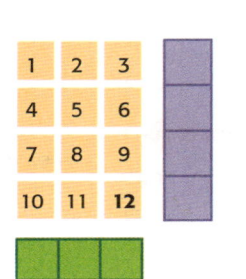

Esta organização retangular de 12 unidades, com largura 3 e altura 4, mostra que:

$$3 \times 4 = 12$$

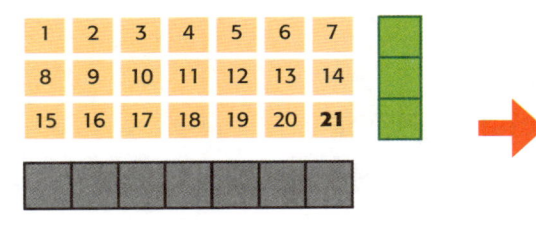

Esta organização retangular de 21 unidades, com largura 7 e altura 3, mostra que:

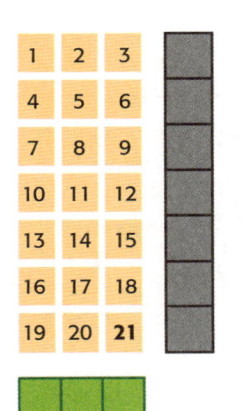

$$7 \times \underline{} = \underline{}$$

Esta organização retangular de 21 unidades, com largura 3 e altura 7, mostra que:

$$3 \times \underline{} = \underline{}$$

4 Quantas notas? Quantos reais? Vamos trocar?

Situação 1 Trocar várias notas por uma.

10 × 2 = _____

5 × 10 = _____

Situação 2 Trocar uma nota por várias.

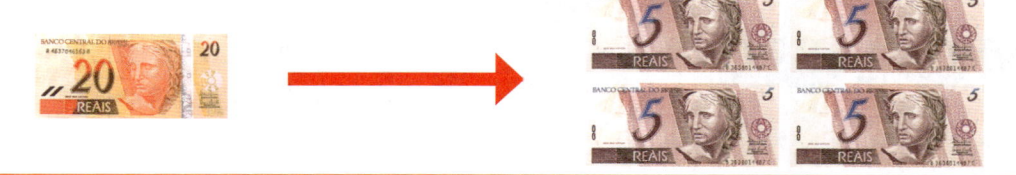

20 ÷ 4 = _____

50 ÷ 25 = _____

As figuras das notas não estão na mesma proporção.

Reproduções

5 Quantas frutas?

Efetue as multiplicações e escreva as quantidades de frutas.

7 × _____ = _____
São _____ maçãs.

4 × 6 = _____
São _____ morangos.

_____ × _____ = _____
São _____ cajus.

6 Quadro da multiplicação?

Escreva as multiplicações que faltam e dê as respostas oralmente:

×	1	2	3	4	5
1	1 × 1	1 × 2		1 × 4	1 × 5
2		2 × 2	2 × 3		
3	3 × 1		3 × 3	3 × 4	3 × 5
4	4 × 1	4 × 2		4 × 4	
5		5 × 2	5 × 3		5 × 5
6	6 × 1	6 × 2		6 × 4	6 × 5
7	7 × 1		7 × 3	7 × 4	
8		8 × 2	8 × 3		8 × 5
9	9 × 1		9 × 3	9 × 4	
10		10 × 2		10 × 4	10 × 5

7 Calcule os produtos e os quocientes.

10 / 3	3 × 10 = ____
produto ▶ 30	

10 / 3	30 ÷ 3 = ____
quociente ▶ 10	

10 / 3	30 ÷ 10 = ____
quociente ▶ 3	

10 / 7	7 × 10 = ____
produto ▶	

10 / 7	70 ÷ 7 = ____
quociente ▶	

10 / 7	70 ÷ 10 = ____
quociente ▶	

20 / 4	4 × 20 = ____
produto ▶	

20 / 4	80 ÷ 4 = ____
quociente ▶	

20 / 4	80 ÷ 20 = ____
quociente ▶	

30 / 2	2 × 30 = ____
produto ▶	

30 / 2	60 ÷ 2 = ____
quociente ▶	

30 / 2	60 ÷ 30 = ____
quociente ▶	

40 / 1	1 × 40 = ____
produto ▶	

40 / 1	40 ÷ 1 = ____
quociente ▶	

40 / 1	40 ÷ 40 = ____
quociente ▶	

30 / 3	3 × 30 = ____
produto ▶	

30 / 3	90 ÷ 3 = ____
quociente ▶	

30 / 3	90 ÷ 30 = ____
quociente ▶	

8 Efetue as multiplicações.

```
   1 1        2 4        2 3        3 4        2 2        7 8
×    5      ×   2      ×   3      ×   2      ×   4      ×   1
-----        -----      -----      -----      -----      -----
   5 5
```

```
   1 2        1 1        3 6        3 3        3 1        2 1
×    4      ×   7      ×   1      ×   3      ×   2      ×   4
-----        -----      -----      -----      -----      -----
```

```
   4 0        1 5        2 1        2 0        4 4        4 7
×    2      ×   1      ×   3      ×   3      ×   2      ×   1
-----        -----      -----      -----      -----      -----
```

9 Observe as multiplicações e efetue as divisões.

3 × 4 = 12
4 × 3 = 12

→

12 | 3
 0   4

12 | 4

2 × 5 = 10
5 × 2 = 10

→

10 | 2
 0

10 | 5

13 × 3 = 39
3 × 13 = 39

→

39 | 13

39 | 3

7 Matemática e arte
Geometria na escultura

Em arte, muitas vezes uma ideia bem simples pode resultar em uma obra muito interessante. Veja as esculturas que o artista plástico brasileiro Antonio Peticov fez com martelos e, também, com os tradicionais lápis de madeira.

Centrífugo, de Antonio Peticov, 1983.
40 cm x 40 cm x 40 cm

A "CAPA" DA ESCULTURA DO LIVRO TEM "FORMA RETANGULAR".

O livro, de Antonio Peticov, 1983.
25 cm x 20 cm x 4,5 cm

Muitas pinturas e esculturas de Antonio Peticov são inspiradas em temas da matemática. Sua obra é reconhecida e admirada internacionalmente.

Esculturas com embalagens coloridas

Escolha pequenas embalagens de papel, vazias, com formas de blocos retangulares. Pinte ou encape cada embalagem com uma única cor. Cole uma embalagem com as outras para criar esculturas.

8 Multiplicação e divisão – Problemas têm solução!

1 Situações-problema com multiplicação

1 Hoje é um dia chuvoso, ideal para fazer bolinhos de chuva. Dona Neuza preparou bolinhos para o café de sua família. Ela fez 4 assadeiras com 10 bolinhos em cada uma. Quantos bolinhos dona Neuza fez?

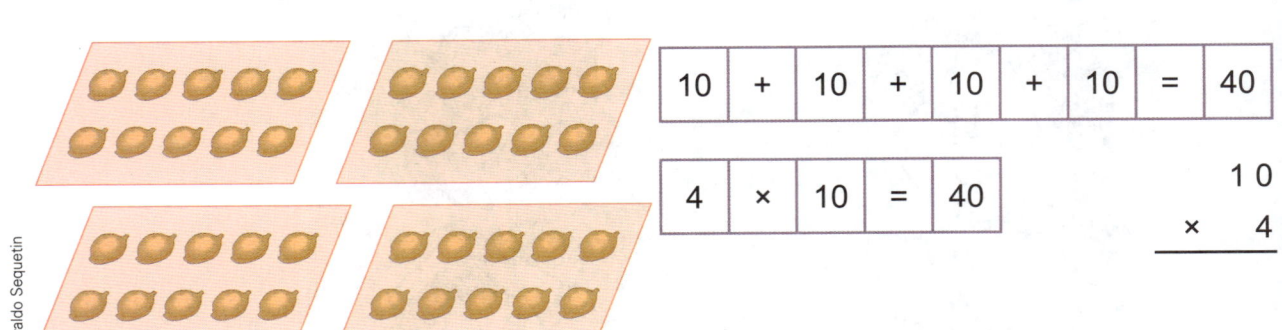

| 10 | + | 10 | + | 10 | + | 10 | = | 40 |

| 4 | × | 10 | = | 40 |

$$\begin{array}{r} 10 \\ \times 4 \\ \hline \end{array}$$

Osvaldo Sequetin

Resposta: Dona Neuza fez _____ bolinhos de chuva.

2 A escola de Fabiana está organizando a festa do bolo de fubá. Foram preparados 11 bolos e cada um deles foi cortado em 8 pedaços. Quantos pedaços de bolo serão oferecidos na festa?

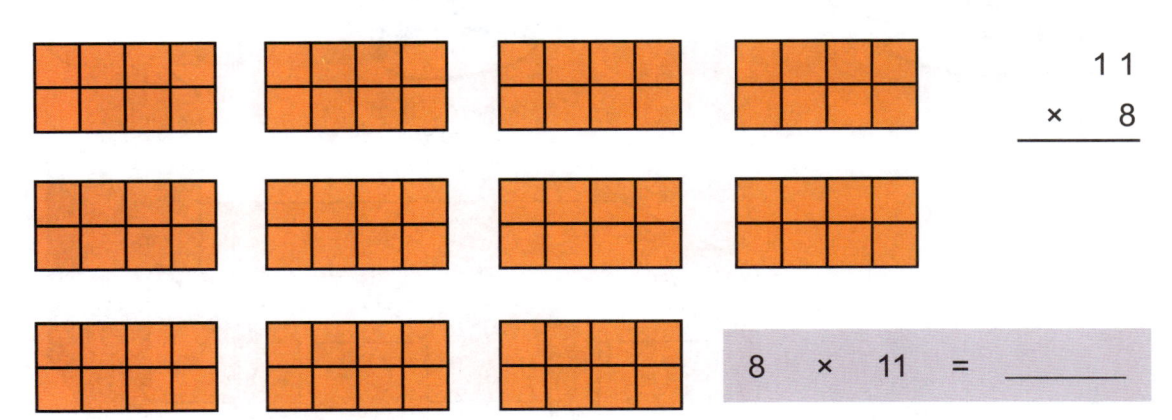

$$\begin{array}{r} 11 \\ \times 8 \\ \hline \end{array}$$

| 8 | × | 11 | = | _____ |

Resposta: Serão oferecidos _____ pedaços de bolo.

3 Pinóquio reuniu quatro bonecos de madeira, todos muito falantes como ele, para conversar sobre as novidades no Mundo da Fantasia. Para cada um dos presentes na reunião de tagarelas, Pinóquio comprou três pés-de-moleque, duas cocadas e quatro cajuzinhos. Quantos docinhos foram comprados no total?

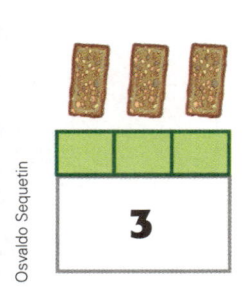

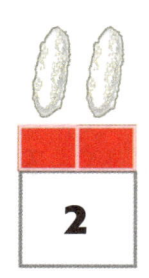

Quantos bonecos falantes? _____
Quantos docinhos para cada um?
3 + 2 + 4 = _____

Quantos docinhos no total?
5 × 9 = _____

Resposta: Foram comprados _____ docinhos no total.

4 Um fantasmão gorduchão precisa de 3 lençóis bem branquinhos para fazer sua roupa horripilante. Na caverna supermal-assombrada haverá um festival com 13 fantasmas gorduchões de mesmo manequim. Quantos lençóis a loja Medinho-Medão vai vender para esse festival?

Resposta: A loja Medinho-Medão vai vender _____ lençóis para esse festival.

1 Situações-problema com divisão

1 Louro Carlos, o papagaio cantor, já está quase rouco de tanto cantar. Para não perder o emprego no programa da Loura Maria, precisa tomar uma caixa com 36 pastilhas. Na receita o Dr. Louro Médici anotou 3 por dia. Quantos dias Louro Carlos deverá tomar as pastilhas?

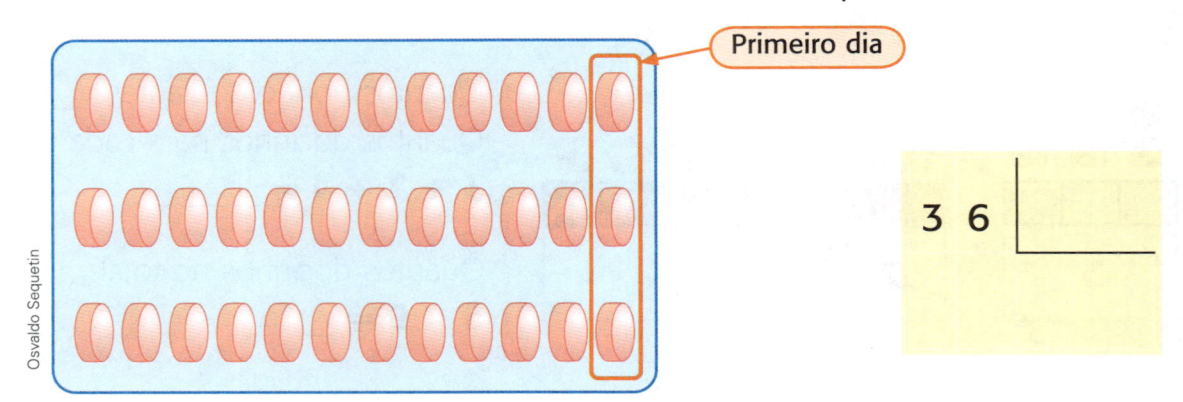

Primeiro dia

3 6 |

Resposta: Louro Carlos deverá tomar pastilhas por _____ dias.

2 Os 7 anões ganharam de presente da Branca de Neve 42 soldadinhos de chumbo, distribuídos igualmente. Quantos soldadinhos cada anão recebeu?

4 2 |

Resposta: Cada anão recebeu _____ soldadinhos de chumbo.

3 A fábrica de automóveis Carro-do-povo produziu um novo modelo do Golaço-de-placa. Esse veículo tem quatro rodas e um estepe (roda reserva). Para realizar os testes com o novo automóvel, completo, a fábrica utilizou 45 rodas. Quantos Golaço-de-placa foram fabricados na fase de testes?

Quantas rodas há em cada automóvel completo? _____ rodas.

4 5 |___

Resposta: Foram fabricados _____ automóveis.

4 Uma indústria de brindes fabricou 96 lápis coloridos para a Livraria Multicor presentear seus clientes no lançamento de um livro infantil. Esses lápis estão embalados em 32 caixas. Quantos lápis há em cada caixa?

9 6 |___

Resposta: Há _____ lápis em cada caixa.

UNIDADE 3

Novos desafios... tabelas, operações e geometria

Ontem eu vim de uniforme!

PUXA VOVÔ, NESTA UNIDADE HÁ TANTA COISA! EU GOSTO DE FAZER TABELAS...

SABE LÉO, EU E A HELENA ESTUDAMOS NA MESMA ESCOLA. E COMO ESTAMOS EM SÉRIES DIFERENTES, TEMOS ATIVIDADES DIFERENTES.
EU, POR EXEMPLO, VOU DE UNIFORME ÀS SEGUNDAS, QUARTAS, SEXTAS E AOS SÁBADOS. HELENA USA UNIFORME ÀS TERÇAS, QUARTAS, QUINTAS E AOS SÁBADOS. EM TODOS OS OUTROS DIAS DA SEMANA USAMOS ROUPAS COMUNS.

ÓTIMO, DUDU! VOCÊ ACABA DE FORNECER UM BOM MATERIAL PARA UM PROBLEMA ENVOLVENDO O CALENDÁRIO E AS TABELAS.

Ilustrações: Cibele Queiroz

Dudu e a Helena se encontraram no recreio e Dudu perguntou:

– Helena, que dia da semana é hoje?
Helena responde:
– Eu não sei!
– Só sei que ontem eu vim de uniforme.
Dudu continua:
– Ontem eu também vim de uniforme.
Será que podemos descobrir qual é o dia da semana em que isso pode acontecer?

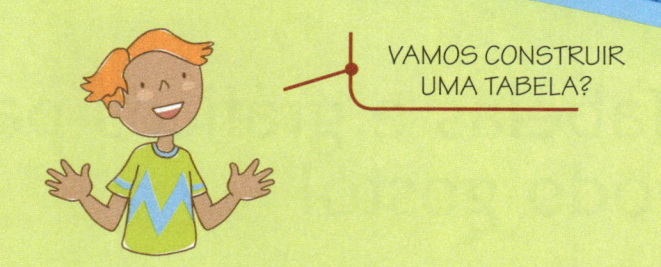

VAMOS CONSTRUIR UMA TABELA?

	Segunda-feira	Terça-feira	Quarta-feira	Quinta-feira	Sexta-feira	Sábado	Domingo
Dudu							
Helena							

Nos dias que eles usam uniformes vamos colocar a letra U e nos outros dias um C, pois usam roupas comuns.

	Segunda-feira	Terça-feira	Quarta-feira	Quinta-feira	Sexta-feira	Sábado	Domingo
Dudu	U	C	U	C	U	U	C
Helena	C	U	U	U	C	U	C

POR ESSA TABELA, OS DIAS QUE O DUDU PODE DIZER "ONTEM EU VIM DE UNIFORME!" SÃO TERÇA-FEIRA, QUINTA-FEIRA, SÁBADO E DOMINGO. JÁ A HELENA PODE DIZER ISSO NA QUARTA-FEIRA, QUINTA-FEIRA, SEXTA-FEIRA E DOMINGO.

Dudu	TERÇA-FEIRA	QUINTA-FEIRA	SÁBADO	DOMINGO
Helena	QUARTA-FEIRA	QUINTA-FEIRA	SEXTA-FEIRA	DOMINGO

EPA! O PROBLEMA TEM DUAS RESPOSTAS: QUINTA-FEIRA E DOMINGO.

NADA DISSO, POIS ELES ESTAVAM NO RECREIO. LOGO, A RESPOSTA QUE SERVE É SOMENTE QUINTA-FEIRA.

É sempre importante lembrar:
Ao resolvermos um problema, precisamos raciocinar bem, porém, não podemos nos esquecer de ficar atentos ao enunciado.

Ilustrações: Cibele Queiroz

1 Tabelas e gráficos para todo gosto!

Em feiras, lojas, lanchonetes, rodoviárias..., quase sempre encontramos tabelas com informações que nos orientam sobre ofertas, opções de produtos e preços, horários de ônibus etc.

As tabelas nos ajudam a construir gráficos que facilitam ainda mais nossas decisões e até nos ensinam.

Exemplo 1 Gráfico de colunas

BRINQUEDOS	VOTOS
CARROSSEL	6
MONTANHA-RUSSA	10
RODA GIGANTE	5
TELEFÉRICO	6
CASA DO TERROR	7

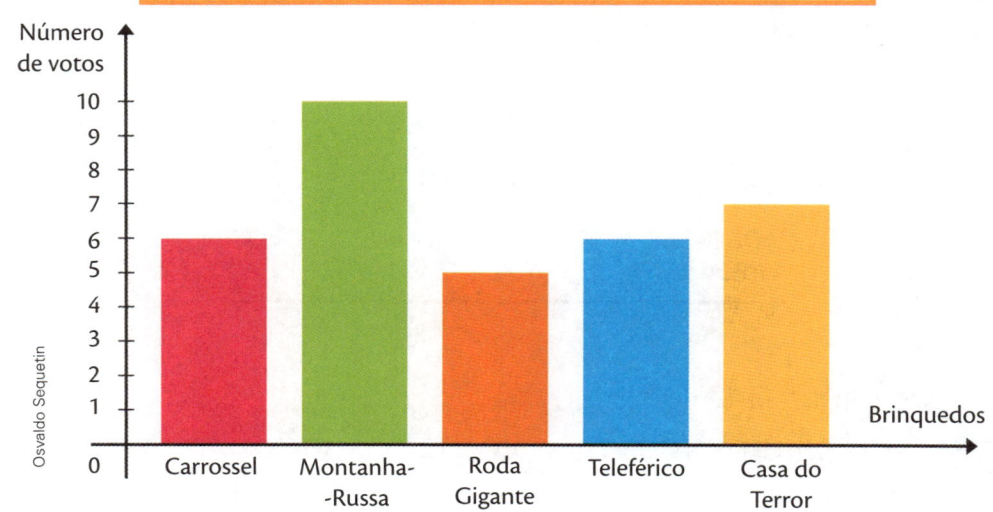

Osvaldo Sequetin

Exemplo 2 Gráfico de barras

ESPORTES	VOTOS
VÔLEI	6
BASQUETE	5
FUTSAL	10
NATAÇÃO	7
ATLETISMO	6

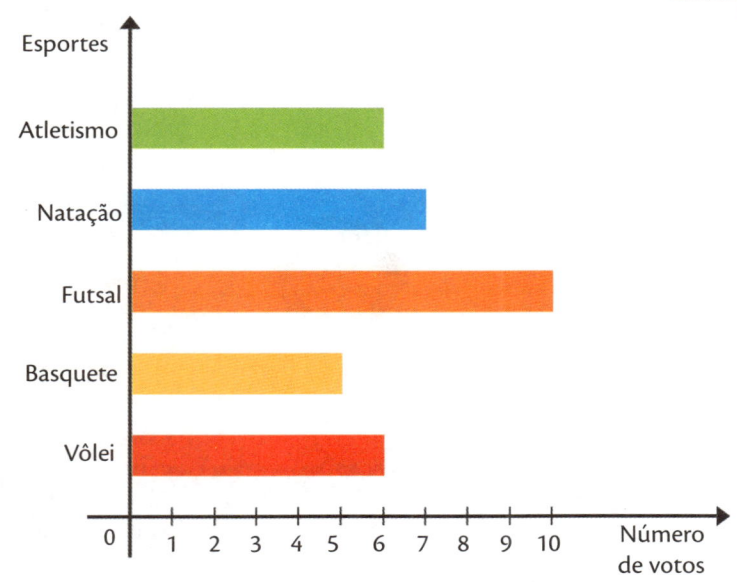

Exemplo 3 Pictograma – Gráficos com ilustrações

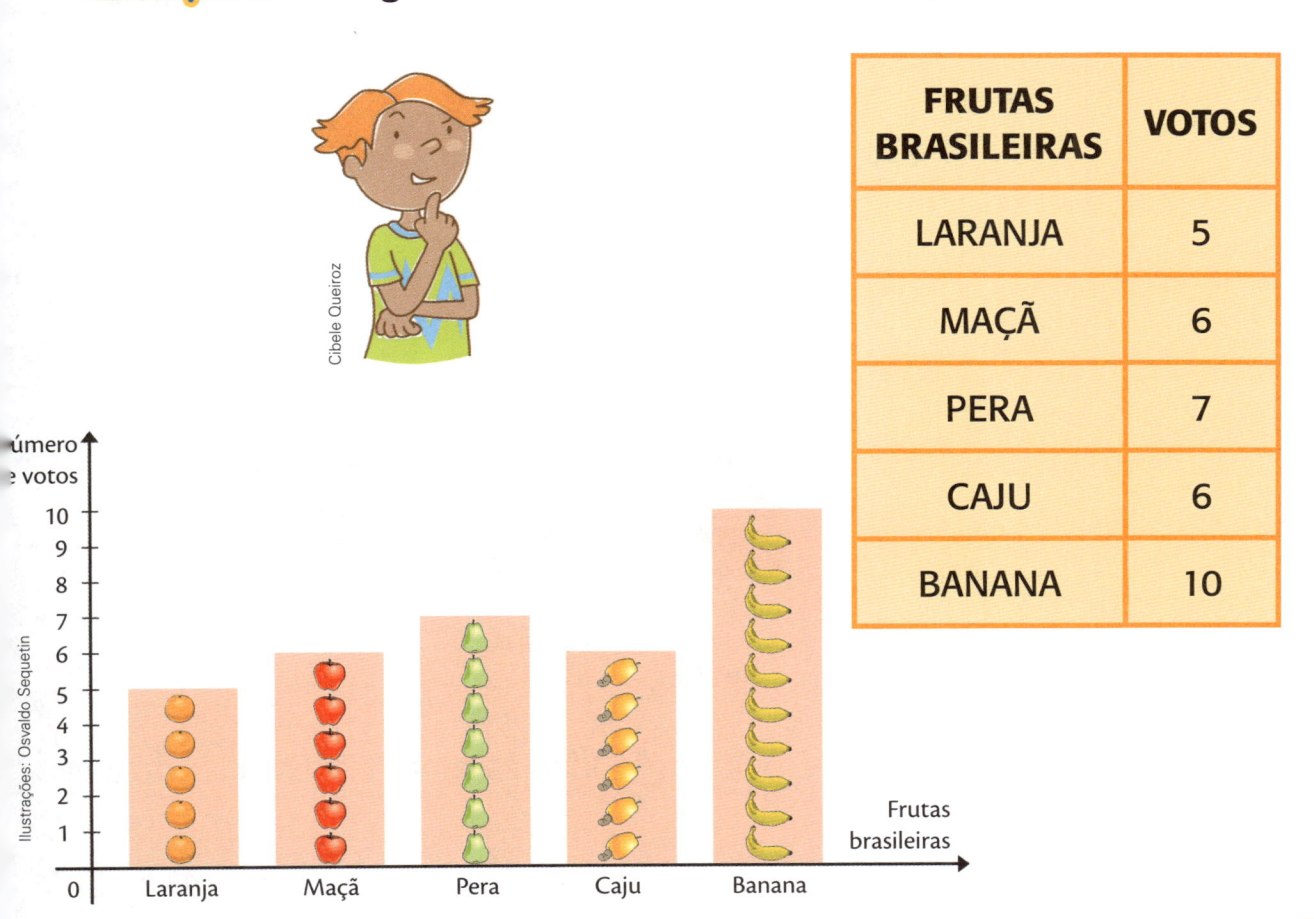

FRUTAS BRASILEIRAS	VOTOS
LARANJA	5
MAÇÃ	6
PERA	7
CAJU	6
BANANA	10

PARA VOCÊ PENSAR... FAZER E DESCOBRIR

1 Giovana e suas amigas Magali, Mônica e Mafalda indicaram suas lendas brasileiras favoritas, a partir desta lista:

Boitatá
Curupira
Saci Pererê
Vitória-régia

GIOVANA		MAGALI		MÔNICA		MAFALDA	
1º	Saci	1º	Saci	1º	Saci	1º	Saci
2º	Vitória-régia	2º	Curupira	2º	Vitória-régia	2º	Vitória-régia
3º	Curupira	3º	Vitória-régia	3º	Curupira	3º	Boitatá
4º	Boitatá	4º	Boitatá	4º	Boitatá	4º	Curupira

Este gráfico indica os mais "votados" por classificação. Pinte o número de votos de cada um.

CLASSIFICAÇÃO DAS LENDAS PREFERIDAS

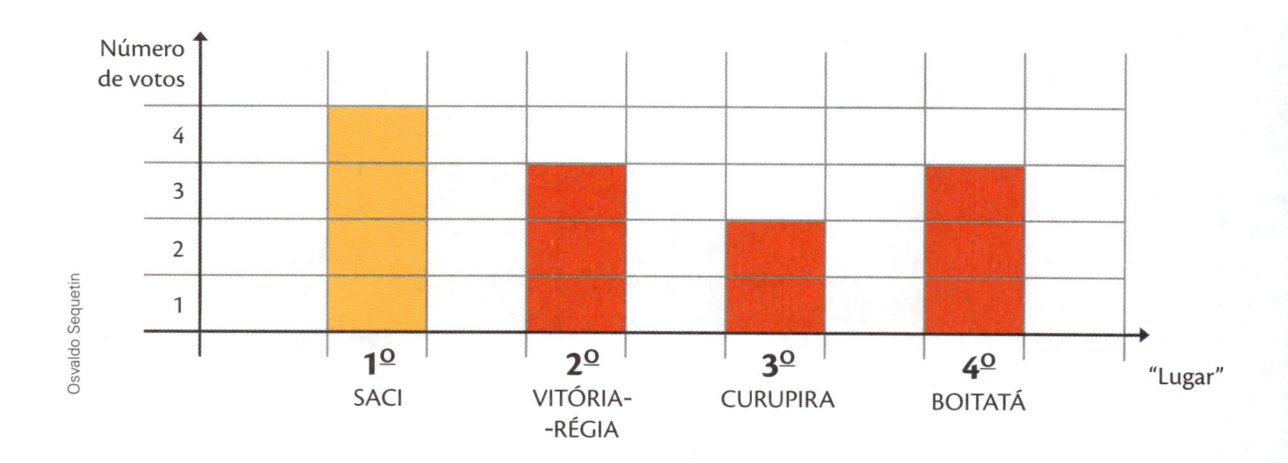

- O Saci Pererê é a lenda preferida por todas as meninas. Essa lenda teve _____ votos, em 1º lugar.
- _____ é a lenda menos preferida. Ela teve 3 votos, em 4º lugar.

2 Leonardo fez uma pesquisa para saber os sucos de fruta preferidos pelos alunos de sua classe. Ele registrou as informações em um gráfico de barras.

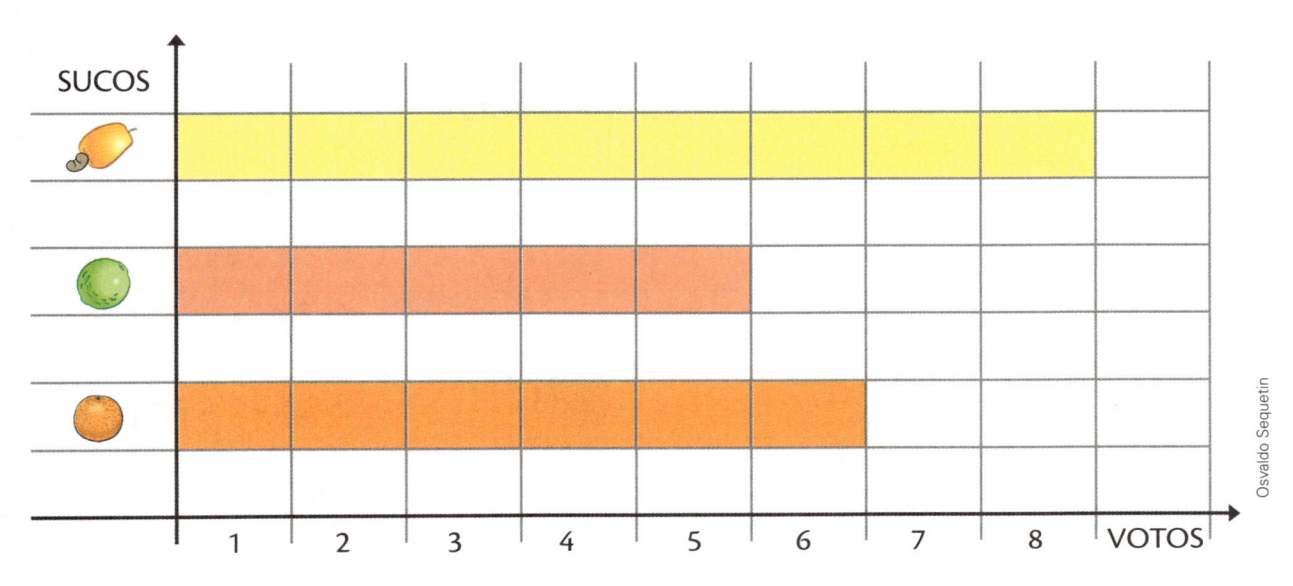

SUCOS

caju: 8 votos
goiaba: 5 votos
laranja: 6 votos

(eixo VOTOS de 1 a 8)

Complete a tabela com as informações registradas no gráfico.

SUCOS	"VOTOS"
caju	
goiaba	
laranja	

- Quantos alunos responderam essa pesquisa? _____ alunos.

3 Faça uma pesquisa com seus familiares para saber as comidas preferidas indicadas na tabela a seguir. Preencha a tabela e faça um gráfico de colunas ou de barras em papel quadriculado.

COMIDAS	"VOTOS"
salada	
macarronada	
churrasco	
feijoada	

95

4 Brinquedos preferidos

Na casa de brinquedos, vovô colocou no mural um gráfico ilustrado mostrando as preferências por brinquedos educativos. Ele fez um pictograma, pois acredita que são mais atraentes.

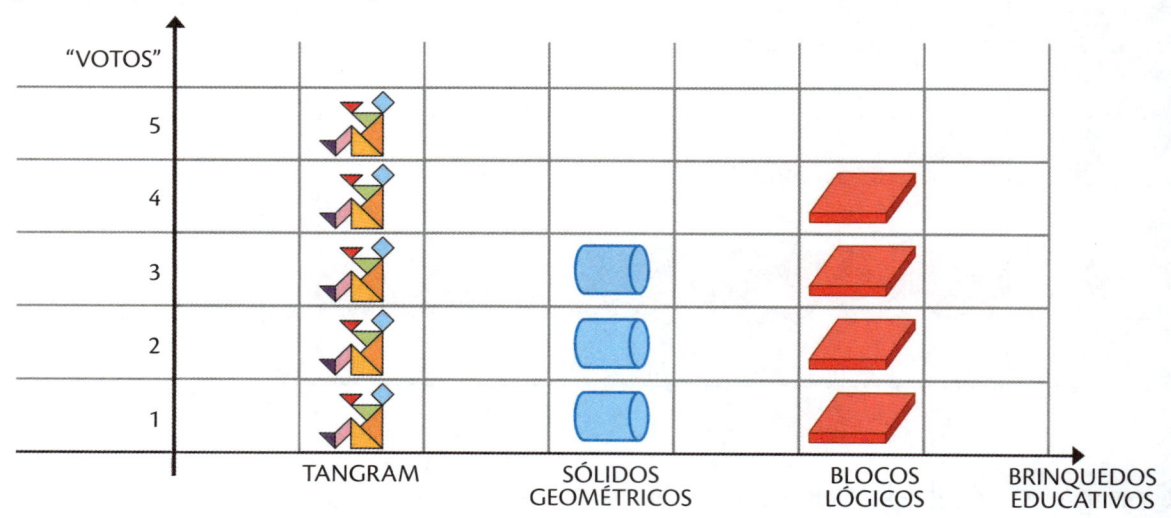

Em seu caderno, faça uma tabela para esse pictograma.

5 Brinquedos com rodas

Pesquise as preferências de seus amigos do bairro por patins, bicicleta, patinete e carrinho. Faça este pictograma.

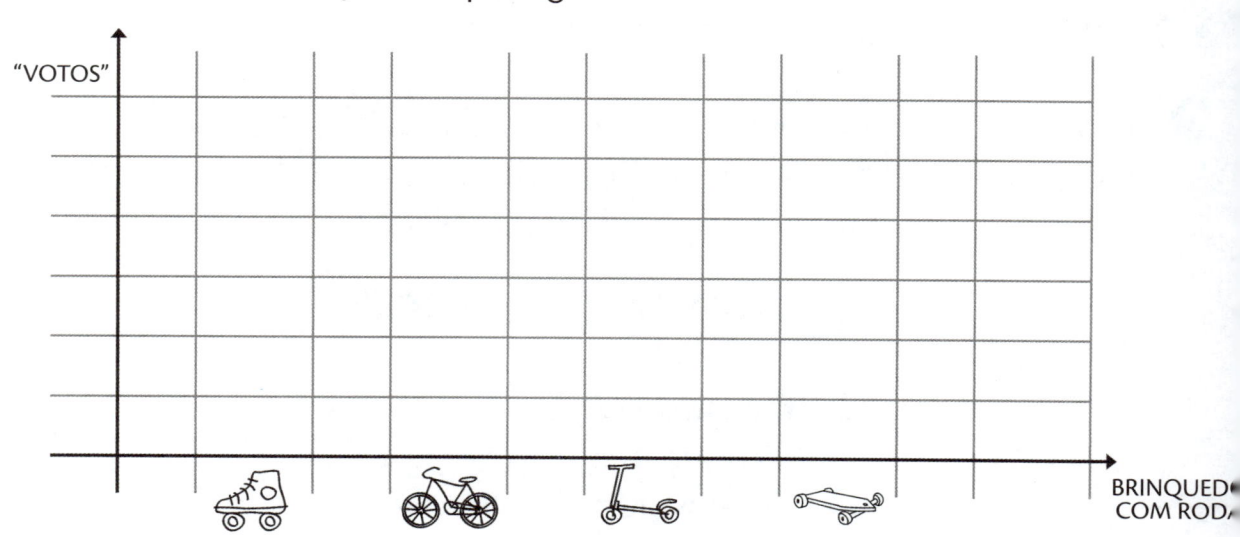

2 Adicionar e subtrair – Reagrupar e desagrupar

Para adicionar, às vezes é preciso reagrupar

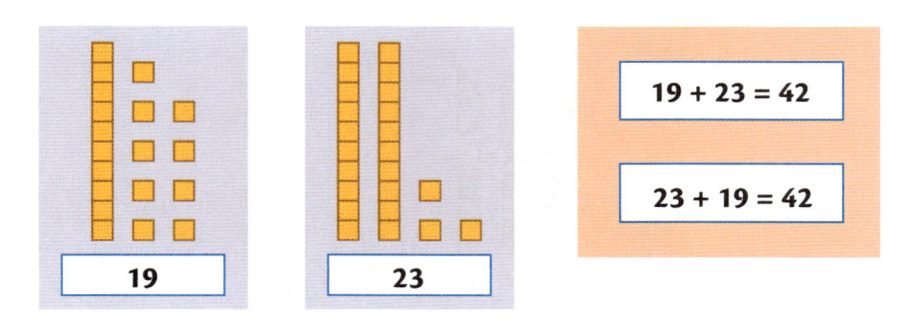

19

23

19 + 23 = 42

23 + 19 = 42

Observe como as unidades simples foram reagrupadas formando mais uma barra, ou seja, mais uma dezena simples:

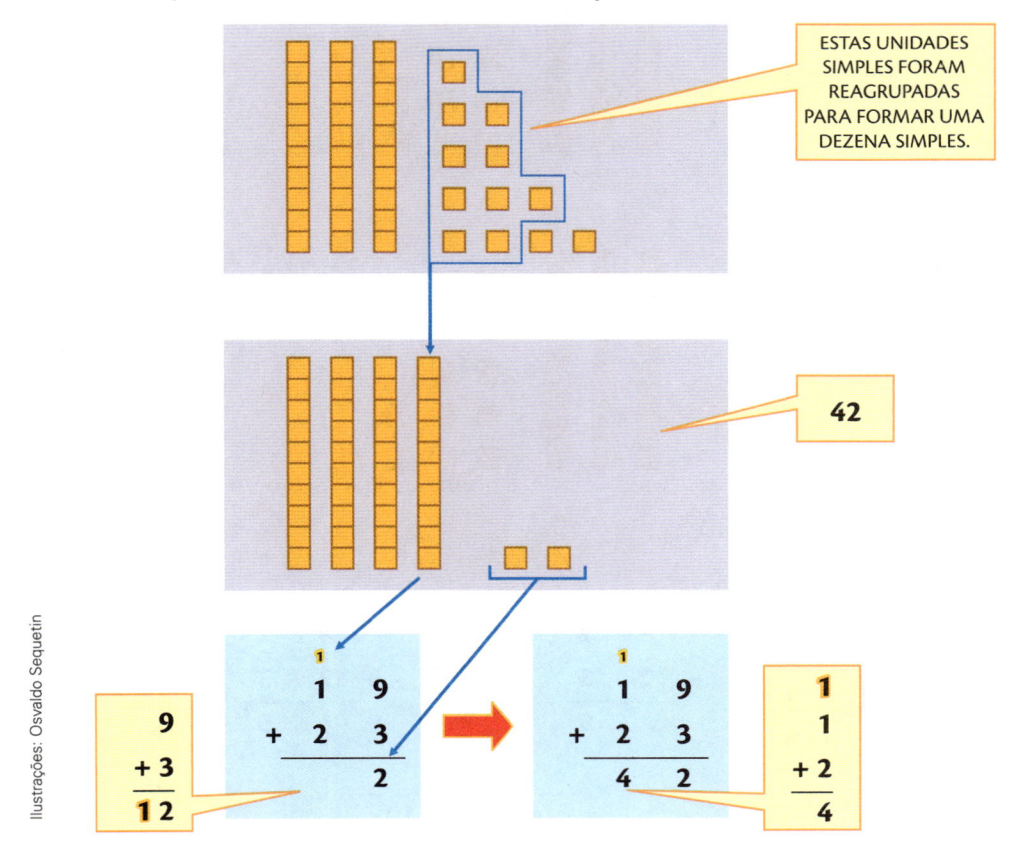

ESTAS UNIDADES SIMPLES FORAM REAGRUPADAS PARA FORMAR UMA DEZENA SIMPLES.

42

$$\begin{array}{r} 9 \\ +3 \\ \hline 12 \end{array}$$

$$\begin{array}{r} \overset{1}{1}\,9 \\ +\,2\,\,3 \\ \hline 2 \end{array} \Rightarrow \begin{array}{r} \overset{1}{1}\,9 \\ +\,2\,\,3 \\ \hline 4\,\,2 \end{array}$$

$$\begin{array}{r} 1 \\ 1 \\ +\,2 \\ \hline 4 \end{array}$$

Ilustrações: Osvaldo Sequetin

Para subtrair, às vezes é preciso desagrupar

Vamos efetuar a subtração:

$$42 - 23$$

Observe como uma dezena simples foi desagrupada em unidades simples:

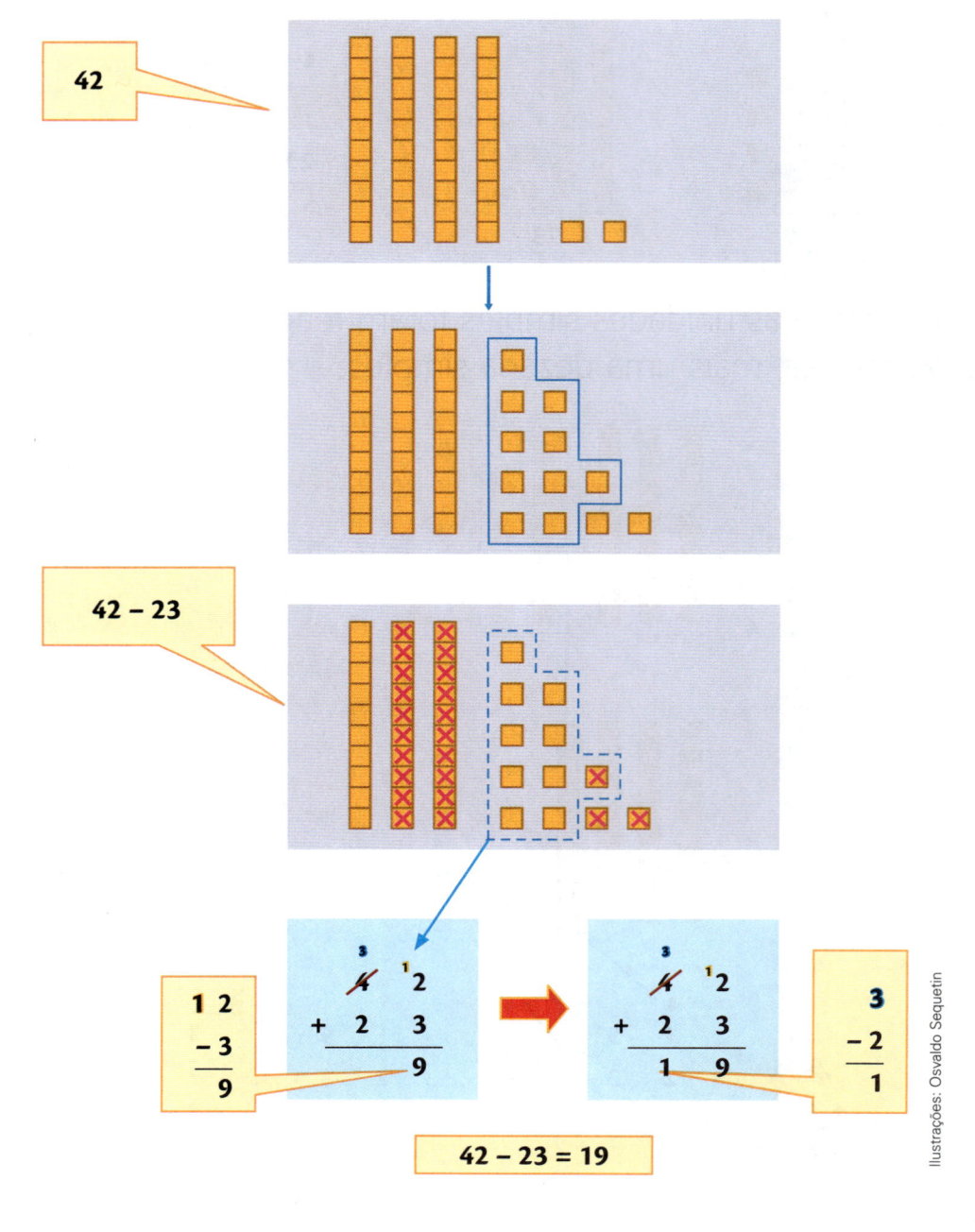

42

42 − 23

42 − 23 = 19

PARA VOCÊ PENSAR... FAZER E DESCOBRIR

1 Efetue as adições.

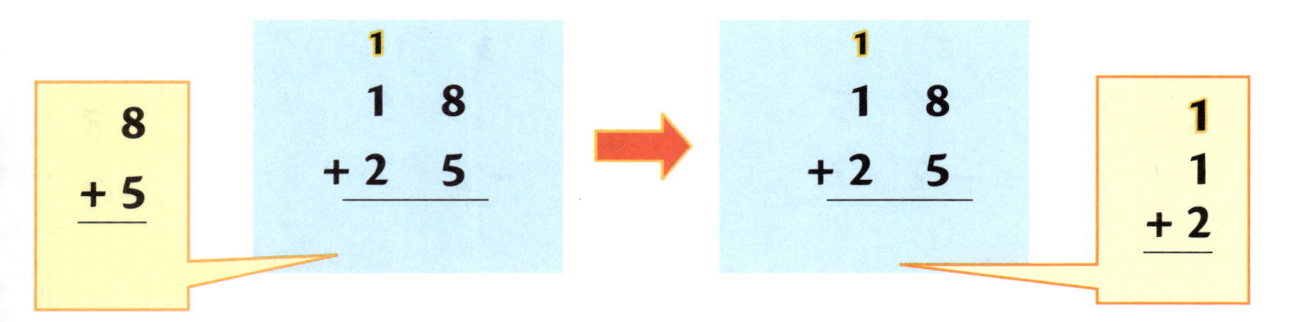

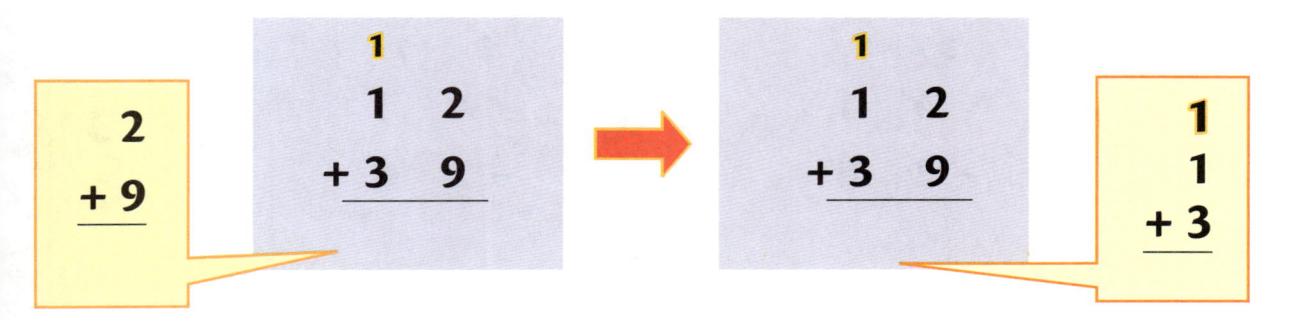

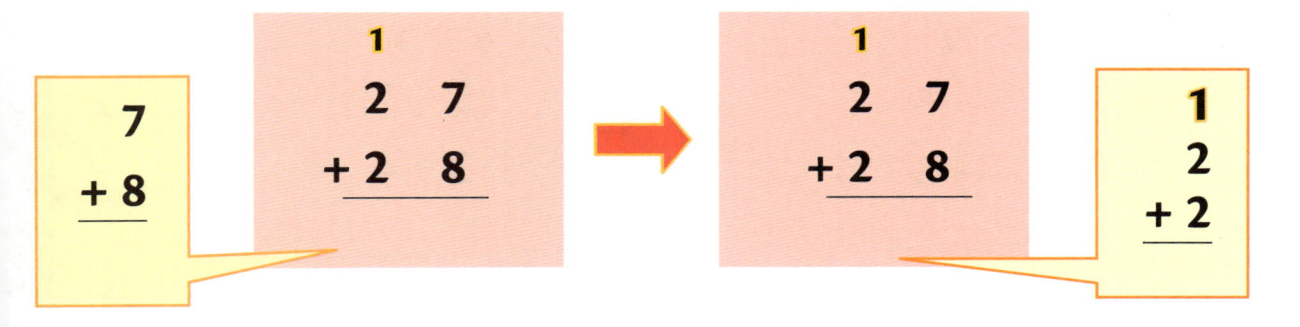

$$\begin{array}{r} 8 \\ +5 \\ \hline \end{array}$$

$$\begin{array}{r} {}^{1} \\ 1\ 8 \\ +2\ 5 \\ \hline \end{array} \Rightarrow \begin{array}{r} {}^{1} \\ 1\ 8 \\ +2\ 5 \\ \hline \end{array}$$

$$\begin{array}{r} 1 \\ 1 \\ +2 \\ \hline \end{array}$$

$$\begin{array}{r} 2 \\ +9 \\ \hline \end{array}$$

$$\begin{array}{r} {}^{1} \\ 1\ 2 \\ +3\ 9 \\ \hline \end{array} \Rightarrow \begin{array}{r} {}^{1} \\ 1\ 2 \\ +3\ 9 \\ \hline \end{array}$$

$$\begin{array}{r} 1 \\ 1 \\ +3 \\ \hline \end{array}$$

$$\begin{array}{r} 7 \\ +8 \\ \hline \end{array}$$

$$\begin{array}{r} {}^{1} \\ 2\ 7 \\ +2\ 8 \\ \hline \end{array} \Rightarrow \begin{array}{r} {}^{1} \\ 2\ 7 \\ +2\ 8 \\ \hline \end{array}$$

$$\begin{array}{r} 1 \\ 2 \\ +2 \\ \hline \end{array}$$

$$\begin{array}{r} 6 \\ +4 \\ \hline \end{array}$$

$$\begin{array}{r} {}^{1} \\ 2\ 6 \\ +3\ 4 \\ \hline \end{array} \Rightarrow \begin{array}{r} {}^{1} \\ 2\ 6 \\ +3\ 4 \\ \hline \end{array}$$

$$\begin{array}{r} 1 \\ 2 \\ +3 \\ \hline \end{array}$$

2 Efetue as subtrações.

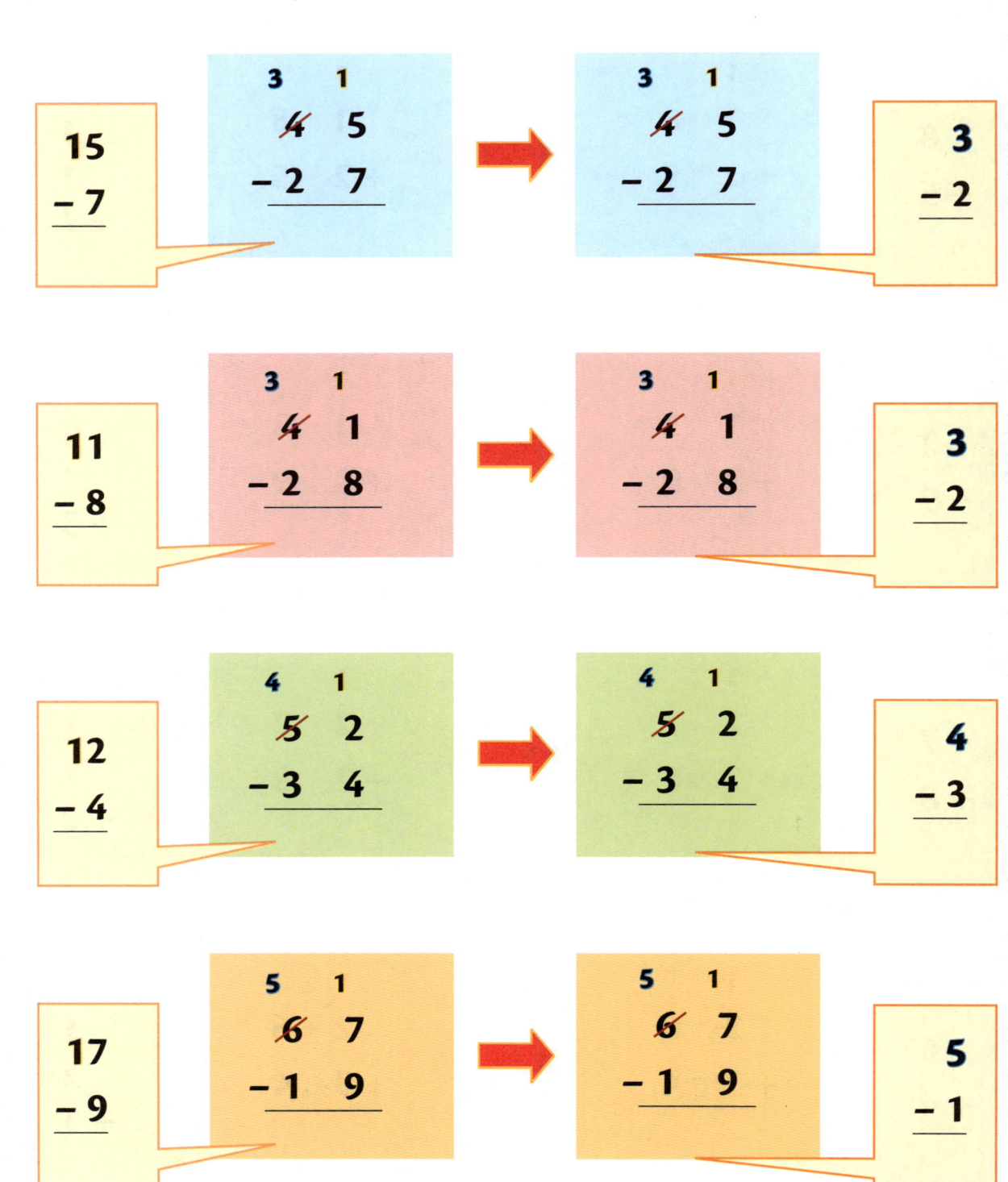

15	3 1	3 1	3
−7	4̸ 5	4̸ 5	−2
	−2 7	−2 7	

11	3 1	3 1	3
−8	4̸ 1	4̸ 1	−2
	−2 8	−2 8	

12	4 1	4 1	4
−4	5̸ 2	5̸ 2	−3
	−3 4	−3 4	

17	5 1	5 1	5
−9	6̸ 7	6̸ 7	−1
	−1 9	−1 9	

100

3 Cilindro, cone e esfera... Deixa rolar!

Cilindro

O cilindro tem a superfície lateral arredondada:

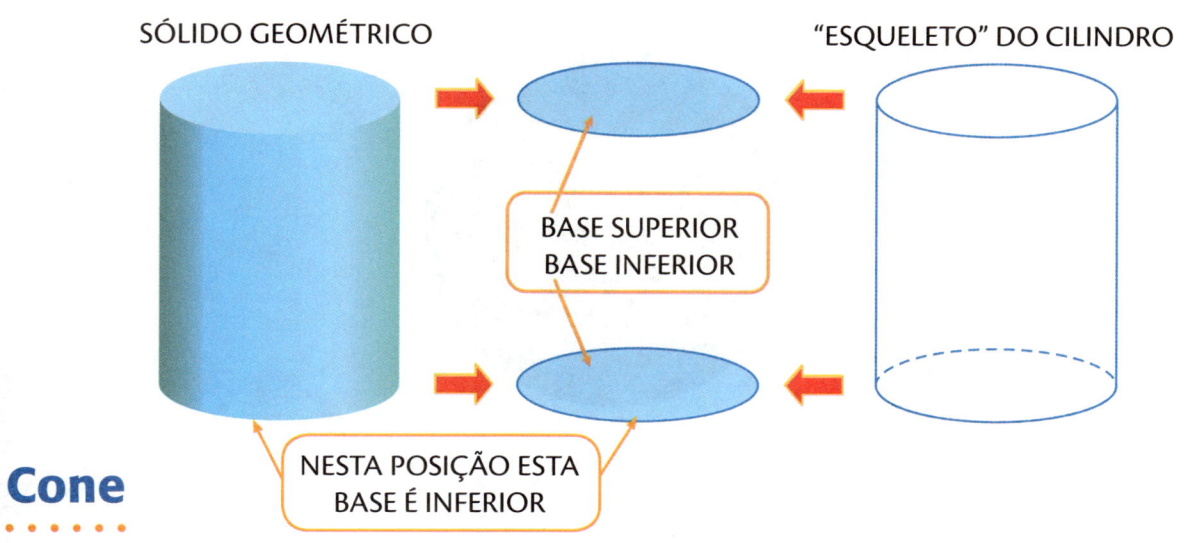

SÓLIDO GEOMÉTRICO → BASE SUPERIOR / BASE INFERIOR ← "ESQUELETO" DO CILINDRO

NESTA POSIÇÃO ESTA BASE É INFERIOR

Cone

O cone também tem a superfície lateral arredondada, mas só tem uma base:

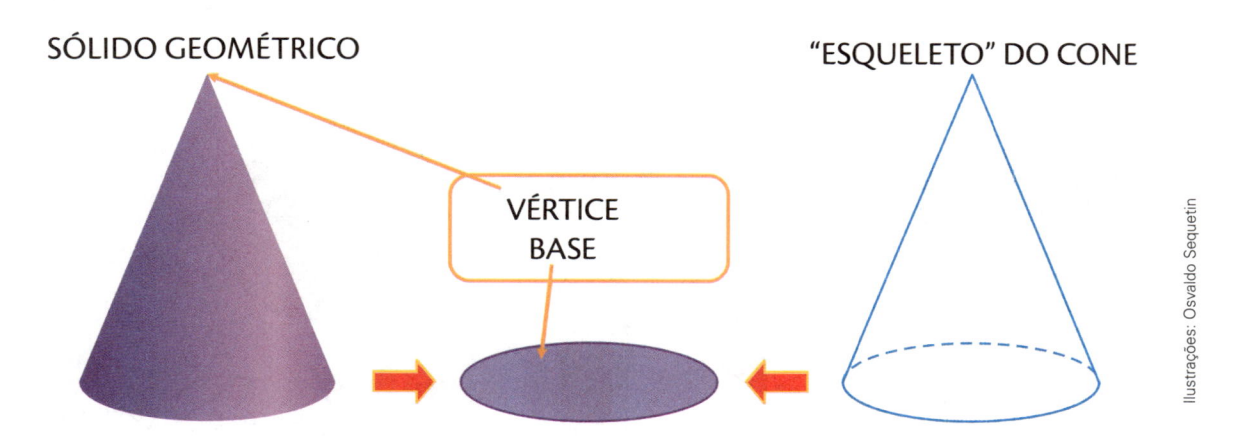

SÓLIDO GEOMÉTRICO → VÉRTICE / BASE ← "ESQUELETO" DO CONE

Ilustrações: Osvaldo Sequetin

As formas do cilindro e do cone estão presentes em muitos objetos e também em construções de edifícios.

101

Esfera

A esfera é formada por uma única superfície arredondada. Sua forma pode ser observada nas bolas dos diferentes esportes, nos objetos de decoração, nas peças industriais etc.

O cilindro, o cone e a esfera são sólidos que rolam

PARA VOCÊ PENSAR... FAZER E DESCOBRIR

1 Figuras em jornais e revistas

1 Recorte e cole aqui figuras com as formas de cilindro e cone.

Gilberto Valadares

2 Recorte e cole aqui figuras com as formas de esfera.

4 Curiosidade visual!

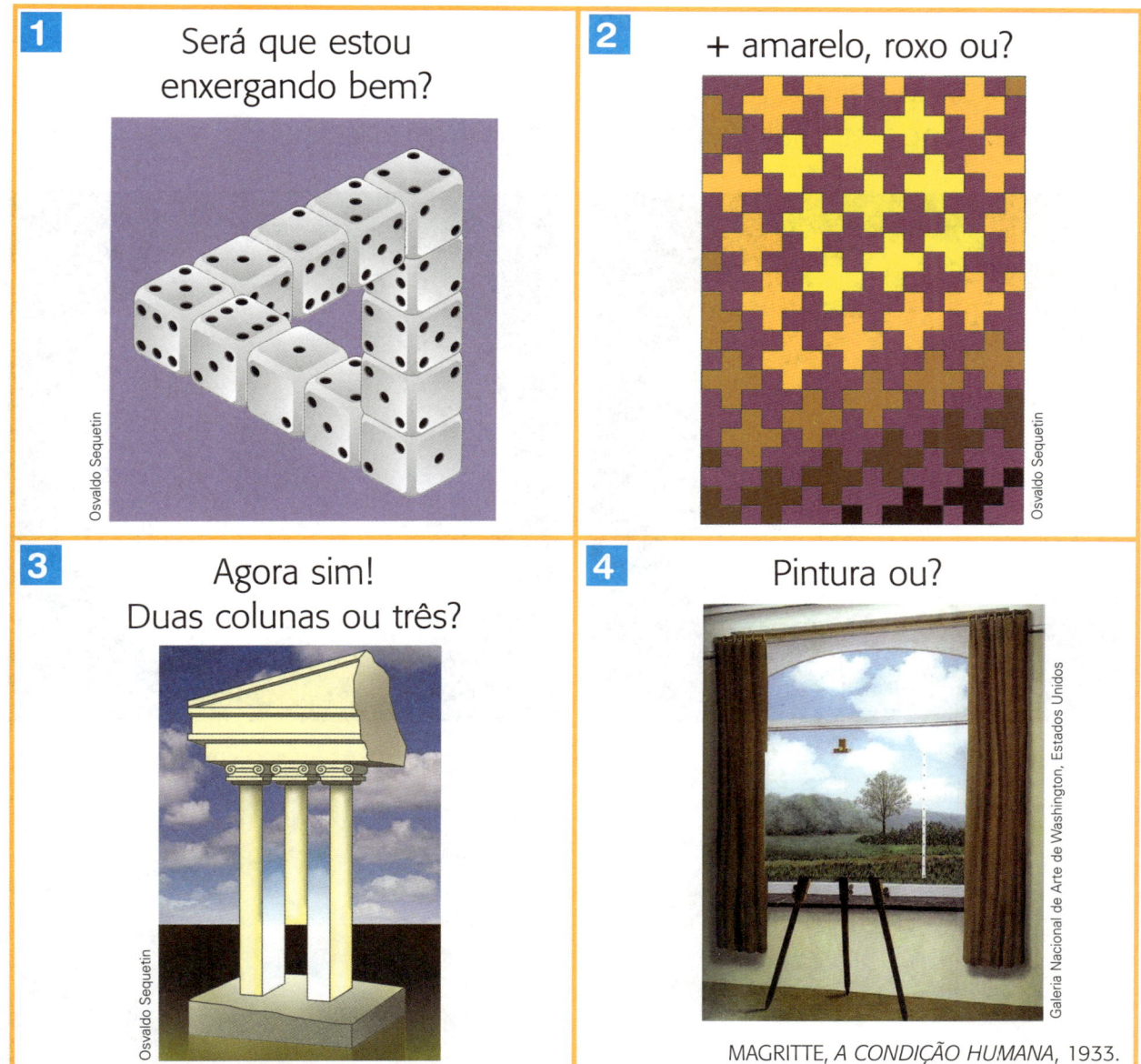

1 Será que estou enxergando bem?

Osvaldo Sequetin

2 + amarelo, roxo ou?

Osvaldo Sequetin

3 Agora sim! Duas colunas ou três?

Osvaldo Sequetin

4 Pintura ou?

Galeria Nacional de Arte de Washington, Estados Unidos

MAGRITTE, *A CONDIÇÃO HUMANA*, 1933.

Roda de conversa

As curiosidades visuais são um bom tema para uma conversa sobre o que cada um entendeu ao olhar as imagens, pois elas são, em verdade, "pegadinhas visuais".

105

5 Matemática e arte
Mandalas com sucata & etc.

Empregando objetos muito simples como clipes, palitos, pregos, botões, sementes... pode-se criar mandalas bem interessantes.

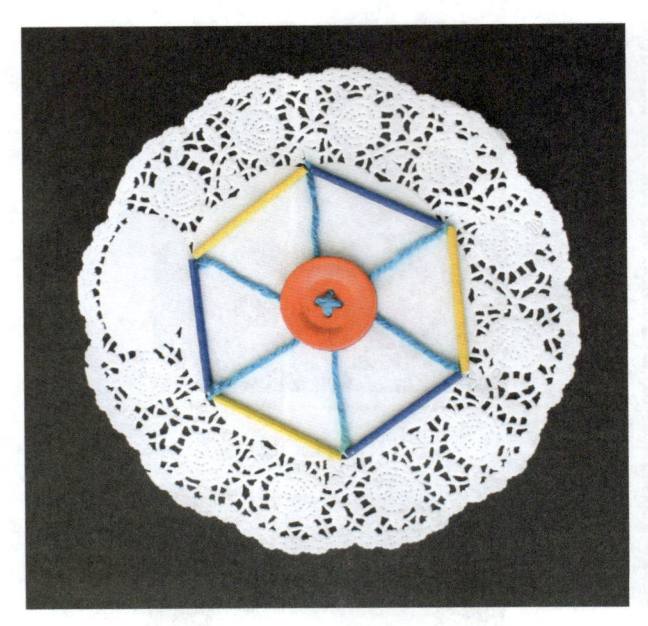

Mandalas com tangram

Em grupo, criem mandalas utilizando vários tangrans. Exponham seus trabalhos no mural da classe.

Mandalas em malhas geométricas

Crie mandalas empregando a malha de pontos

Ilustrações: Osvaldo Sequetin

6 Número "quebrado" existe, sim!

VEJA TRÊS EXEMPLOS DE **1 INTEIRO** DIVIDIDO EM PARTES IGUAIS.

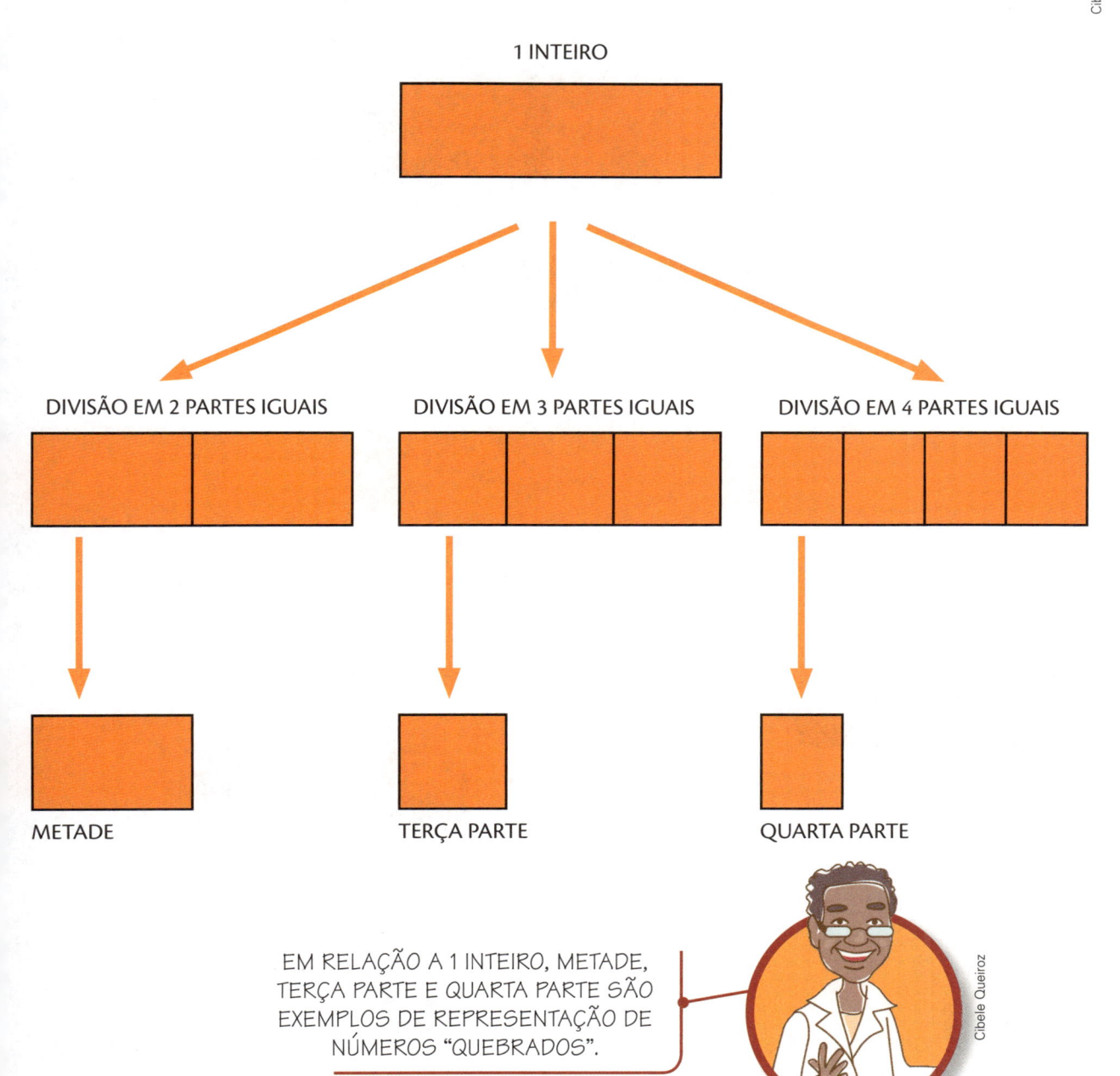

1 INTEIRO

DIVISÃO EM 2 PARTES IGUAIS | DIVISÃO EM 3 PARTES IGUAIS | DIVISÃO EM 4 PARTES IGUAIS

METADE | TERÇA PARTE | QUARTA PARTE

EM RELAÇÃO A 1 INTEIRO, METADE, TERÇA PARTE E QUARTA PARTE SÃO EXEMPLOS DE REPRESENTAÇÃO DE NÚMEROS "QUEBRADOS".

A ideia de número "quebrado" também pode ser exemplificada com a cédula de 1 real e as moedas de 50 centavos e 25 centavos:

1 REAL OU 1 INTEIRO

1 REAL CORRESPONDE A 100 CENTAVOS.

DIVISÃO EM 2 VALORES IGUAIS

DIVISÃO EM 4 VALORES IGUAIS

Fotos: Reproduções

50 CENTAVOS OU METADE DE 1 REAL

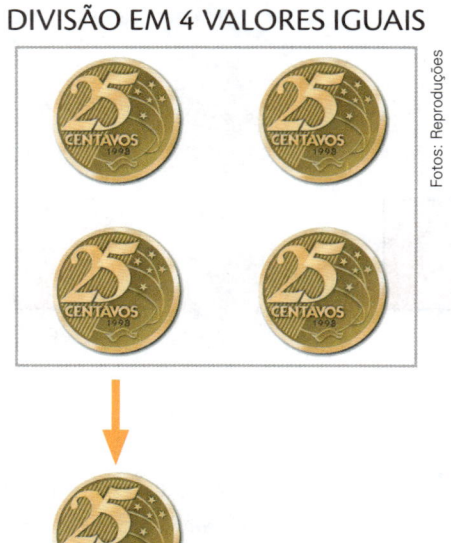

25 CENTAVOS OU QUARTA PARTE DE 1 REAL

PARA VOCÊ PENSAR... FAZER E DESCOBRIR

1 Complete:

UMA DÚZIA    MEIA DÚZIA

Uma dúzia de bananas são _____ bananas.
Meia dúzia de bananas são _____ bananas.

UMA DEZENA    MEIA DEZENA

Uma dezena de cajus são _____ cajus.
Meia dezena de cajus são _____ cajus.

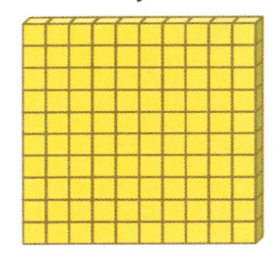

UMA CENTENA SIMPLES 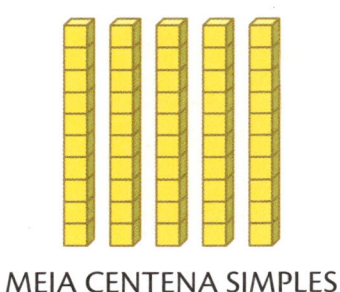   MEIA CENTENA SIMPLES

Uma centena simples corresponde a _____ unidades simples.
Meia centena simples corresponde a _____ unidades simples.

UM REAL OU 100 CENTAVOS    METADE DO VALOR DE 1 REAL

Um real corresponde a _____ centavos.
A metade do valor de 1 real corresponde a _____ centavos.

CEM REAIS    METADE DO VALOR DE CEM REAIS

A metade do valor de 100 reais corresponde a _____ reais.

2 Observe as quantidades e complete:

1 No total são _____ balas.

2 Agora são 12 balas divididas em _____ partes iguais.

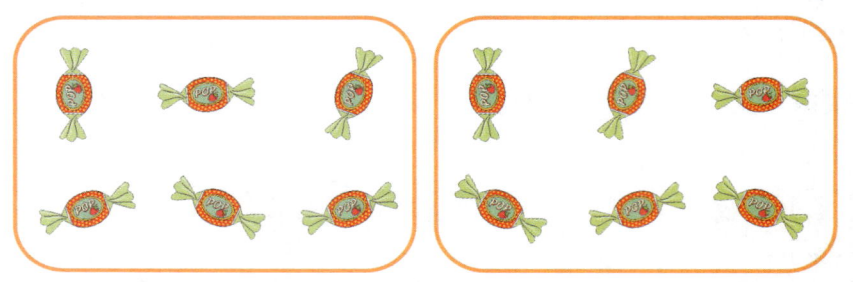

A **metade** de 12 balas corresponde a _____ balas.

3 Agora são 12 balas divididas em _____ partes iguais.

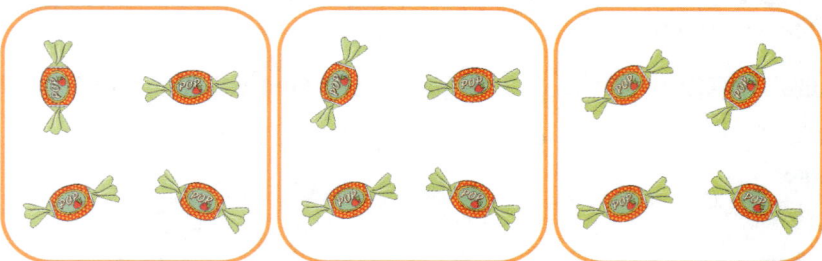

A **terça parte** de 12 balas corresponde a _____ balas.

4 Agora são 12 balas divididas em _____ partes iguais.

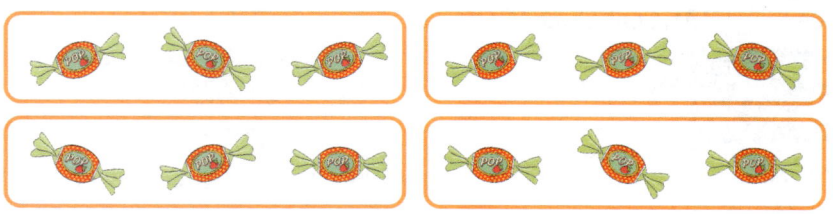

A **quarta parte** de 12 balas corresponde a _____ balas.

3 Dobro, triplo, quádruplo

Exemplos de números "quebrados" a partir de multiplicações e divisões. Complete:

2 × 5 = 10	O dobro de 5 é _____.
10 ÷ 2 = 5	A metade de 10 é _____.
2 × 9 = 18	O dobro de 9 é _____.
18 ÷ 2 = 9	A metade de 18 é _____.
3 × 7 = 21	O triplo de 7 é _____.
21 ÷ 3 = 7	A terça parte de 21 é _____.
3 × 10 = 30	O triplo de 10 é _____.
30 ÷ 3 = 10	A terça parte de 30 é _____.
4 × 12 = 48	O quádruplo de 12 é _____.
48 ÷ 4 = 12	A quarta parte de 48 é _____.

4 Borboletas e joaninhas

Desenhe apenas a **terça parte** destas borboletas e a **quarta parte** das joaninhas.

Ilustrações: Osvaldo Sequetin

7 As quatro operações – Problemas têm solução!

1 O canguru Pongue-Pongue já deu 77 pulos e ainda faltam 18 pulos para chegar à toca de Pingue-Pingue. Quantos pulos Pongue-Pongue dará até a toca de Pingue-Pingue?

77 PULOS	18 PULOS

$$\begin{array}{r} \overset{1}{7}\,7 \\ +\ 1\,8 \\ \hline \end{array}$$

Resposta: Pongue-Pongue dará _____ pulos até chegar à toca de Pingue-Pingue.

2 No álbum da coleção de selos de Selofrônio havia 59 selos, Selonilda colocou mais 37. Quantos selos há no álbum?

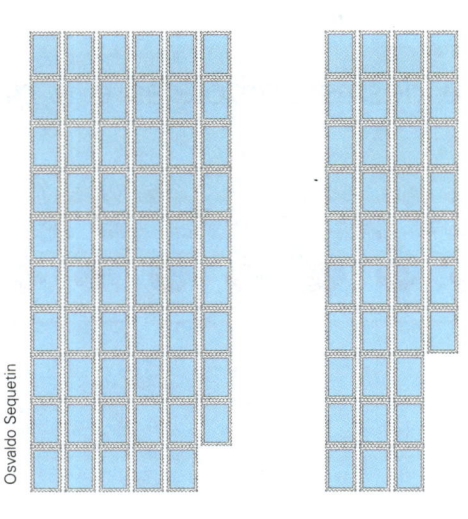

$$\begin{array}{r} \overset{1}{5}\,9 \\ +\ 3\,7 \\ \hline \end{array}$$

Osvaldo Sequetin

Resposta: No álbum há _____ selos.

3 Panifácio foi a padaria com 73 reais e gastou 38 reais pagando as contas de uma semana. Com quanto Panifácio ficou?

73 REAIS	
38 REAIS	? REAIS

$$\begin{array}{r} 7\ 3 \\ -\ 3\ 8 \\ \hline \end{array}$$

Resposta: Panifácio ficou com _____ reais.

4 Velozildo, o motoboy, já entregou 26 das 64 encomendas da empresa Velozarte. Quantas encomendas ainda faltam para Velozildo entregar?

64 ENCOMENDAS	
26 ENCOMENDAS	? ENCOMENDAS

$$\begin{array}{r} 6\ 4 \\ -\ 2\ 6 \\ \hline \end{array}$$

Ilustrações: Gilberto Valadares

Resposta: Ainda faltam _____ encomendas para Velozildo entregar.

115

5 O trem da montanha-russa do Parque Sobe-Desce tem 10 vagões. Cada vagão leva 6 pessoas.

QUANTAS PESSOAS NO MÁXIMO ESSE TREM PODE LEVAR?

Cibele Queiroz

× _____

Resposta: Esse trem pode levar _____ pessoas no máximo.

6 Neste mês os tios de Rosana completam 4 anos de casados. Por curiosidade, quantos meses os tios de Rosana estão casados?

Dica:
Um ano tem _____ meses.

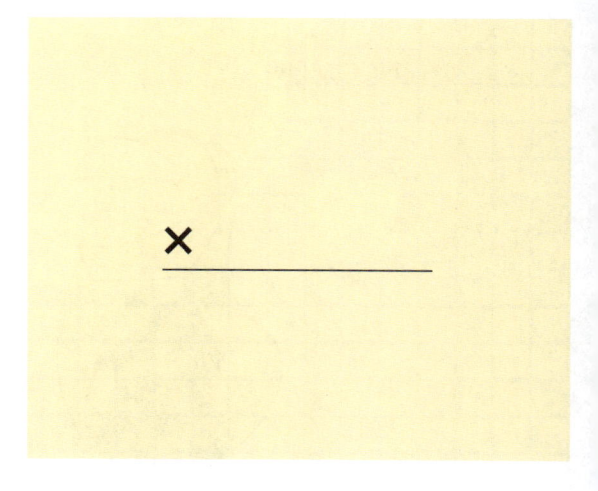

Gilberto Valadares

× _____

Resposta: Os tios de Rosana estão casados há _____ meses.

7 Dona Catarina fez 48 brigadeiros para a festinha da primavera. Ela distribuiu os doces igualmente em 6 caixas. Quantos brigadeiros dona Catarina colocou em cada caixa?

Resposta: Dona Catarina colocou _____ brigadeiros em cada caixa.

8 O coelho Papa-Léguas levou 7 dias para visitar os 63 coelhinhos de sua família.

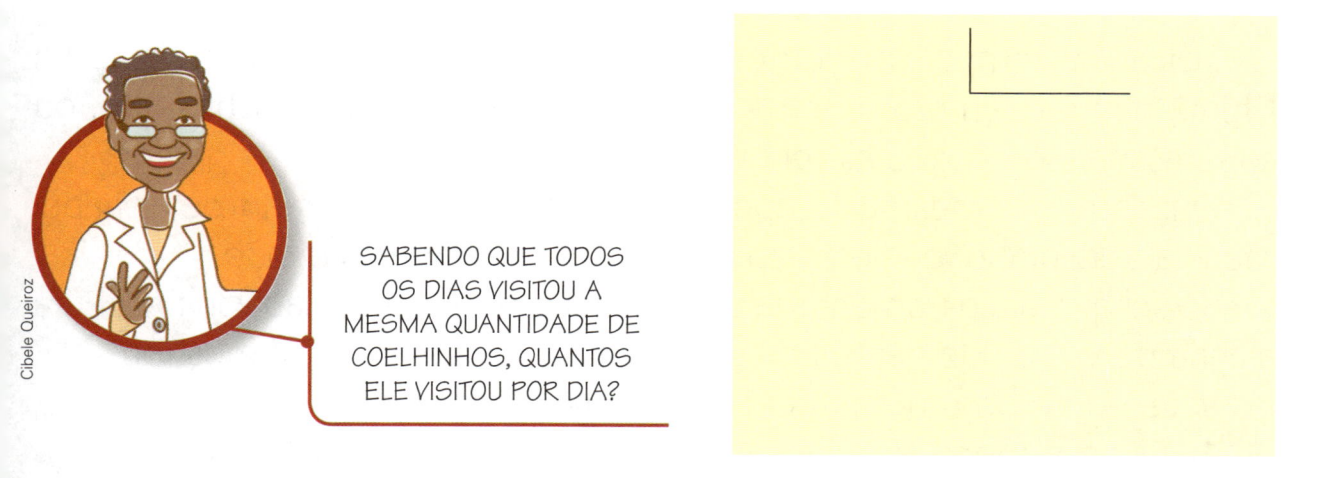

SABENDO QUE TODOS OS DIAS VISITOU A MESMA QUANTIDADE DE COELHINHOS, QUANTOS ELE VISITOU POR DIA?

Resposta: O coelho Papa-Léguas visitou _____ coelhinhos por dia.

UNIDADE 4

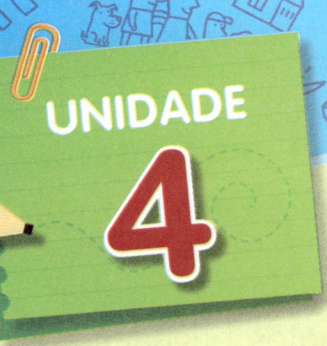

A "chave" do tamanho – Vamos medir?

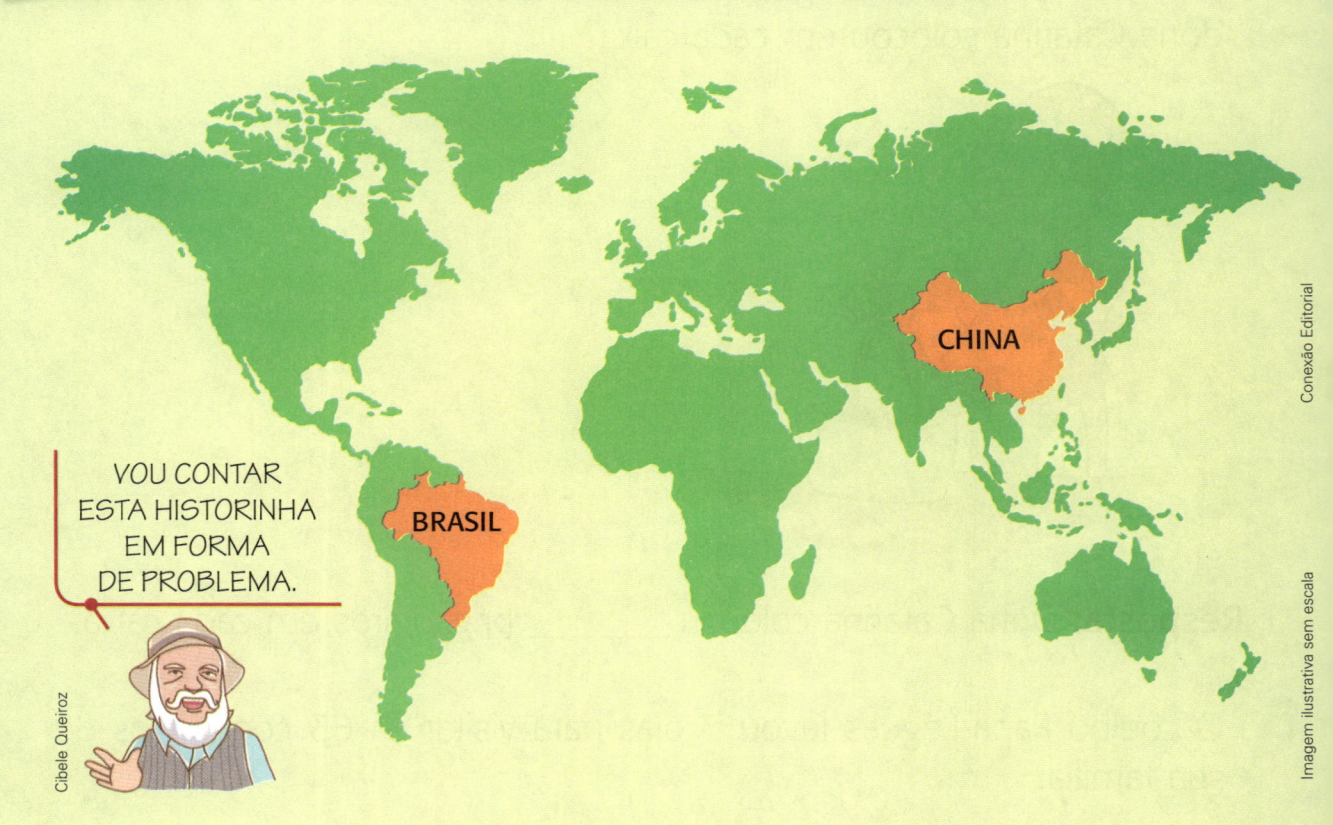

VOU CONTAR ESTA HISTORINHA EM FORMA DE PROBLEMA.

Havia um tempo em que o homem mais alto do mundo morava na **China**, não me lembro o nome dele, mas acho que era **Re Chin Alto**, ou coisa assim. Só sei que ele era muito alto mesmo!

Quase nesse mesmo tempo, em Itabaianinha, no estado de Sergipe, morava Sergipinho, ou será Itabainho? *"Sei direito o nome não!"*

Só sei que era o homem mais baixinho e simpático de Itabaianinha. Pura alegria de viver... Eta gente boa de nossa terra, que até a TV mostrou.

Você que é bom de números, diga logo, por favor:

1. Quanto mede **Re Chin Alto** de altura, se de 2 metros ele passou 36 palitinhos (36 cm)?

2. Sergipinho, ou Itabainho... Como era mesmo o nome dele?! Quanto mede de altura, se de 1 metro passou 24 palitinhos (24 cm)?

2 m e 50 cm

passou 36 centímetros de 2 metros

2 m

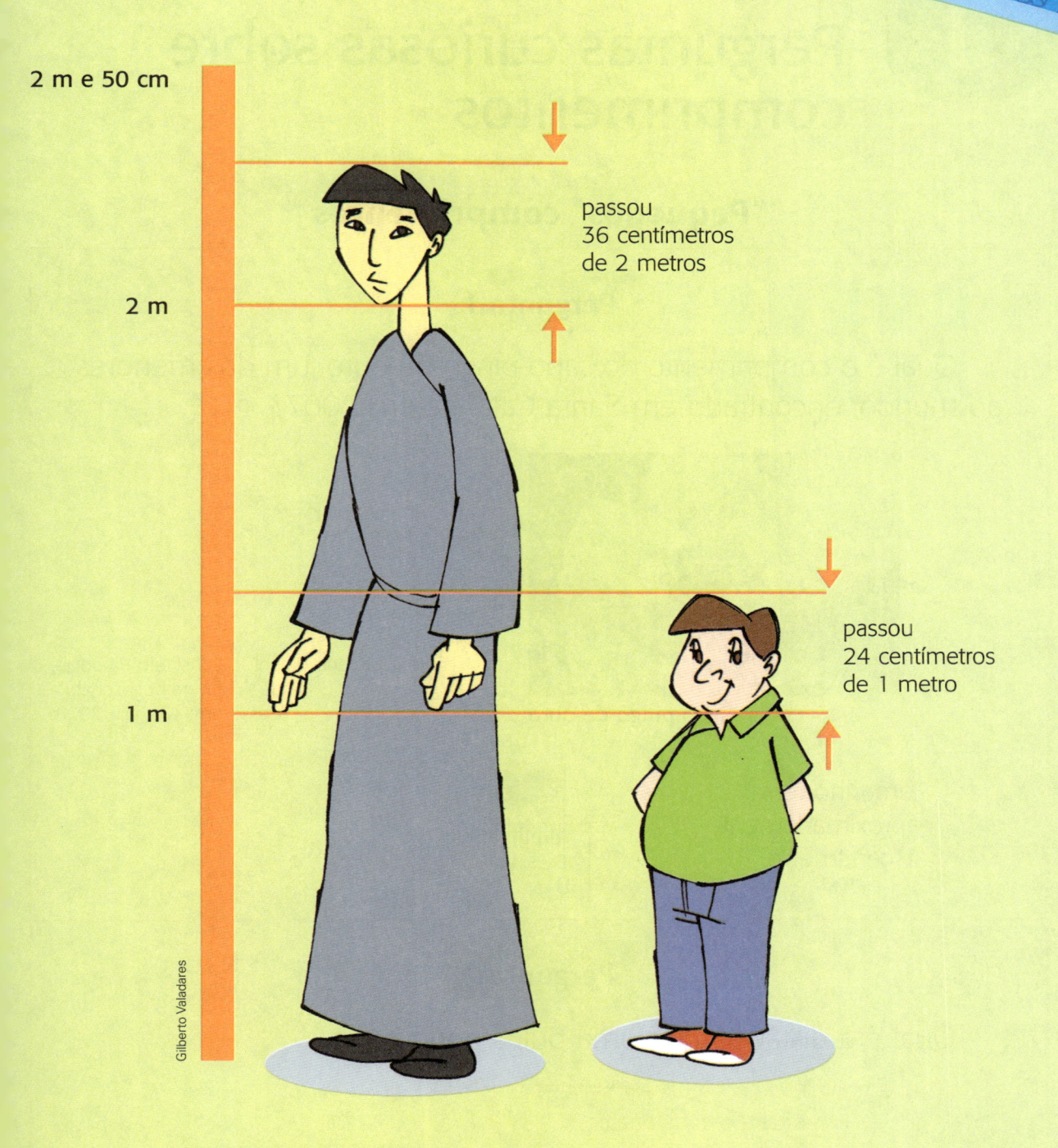

passou 24 centímetros de 1 metro

1 m

Gilberto Valadares

Respostas:
1. A altura do Re Chin Alto é de ____ metros e 36 centímetros.
2. A altura do Sergipinho é de 1 metro e ____ centímetros.
Adaptação "bem-humorada" de informações veiculadas na mídia impressa e televisiva.

119

1 Perguntas curiosas sobre comprimentos

"Pequenos" comprimentos

Pergunta 1

Qual é o comprimento do sapo-pingo-de-ouro, um dos menores do mundo, encontrado em Santa Catarina em 2007?

Sapo-pingo-de-ouro

Fonte: Germano Woehl Jr. – Instituto Rã-bugio, <http://www.ra-bugio.org.br> Acesso em: 13 maio 2008.

tamanho real: aproximadamente 1 centímetro.

Pergunta 2

Qual é a distância que uma pulga pode pular?

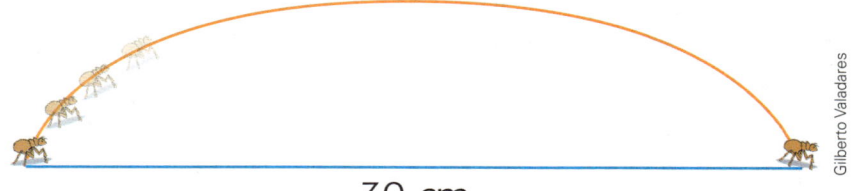

30 cm

Uma pulga pode pular 30 centímetros, aproximadamente.

"Grandes" comprimentos

Pergunta 3

Qual é o comprimento do maior animal que existe em nosso planeta?

aproximadamente 33 metros

O maior animal de nosso planeta é a baleia azul e seu comprimento pode chegar a 33 metros.

Pergunta 4

Qual é a árvore mais alta da Terra?

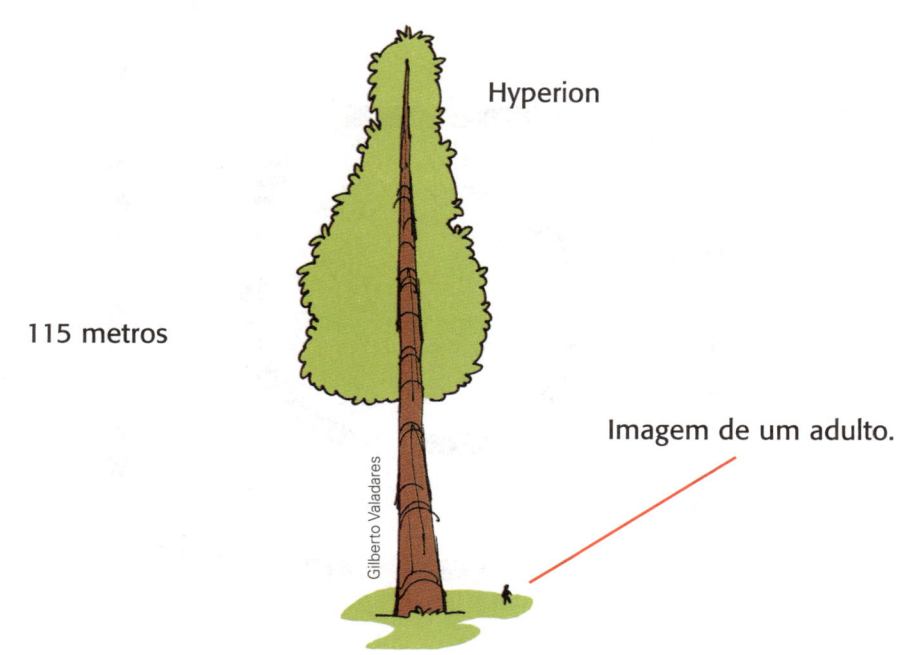

Hyperion

115 metros

Imagem de um adulto.

A sequoia gigante de 115 metros de altura, batizada de *Hyperion*, é a árvore mais alta da Terra. Ela foi encontrada nos Estados Unidos, no Estado da Califórrnia.

As figuras não estão na proporção entre si.

PARA VOCÊ PENSAR... FAZER E DESCOBRIR

1 **O centímetro**

A Coral Coralinda é uma cobrinha de brinquedo. Ela foi feita com pedacinhos de palitos de sorvete pintados. Cada pedaço colorido tem 1 centímetro.

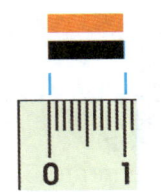

1 centímetro, em símbolo: **1 cm**

Descubra qual é o comprimento da Coral Coralinda.

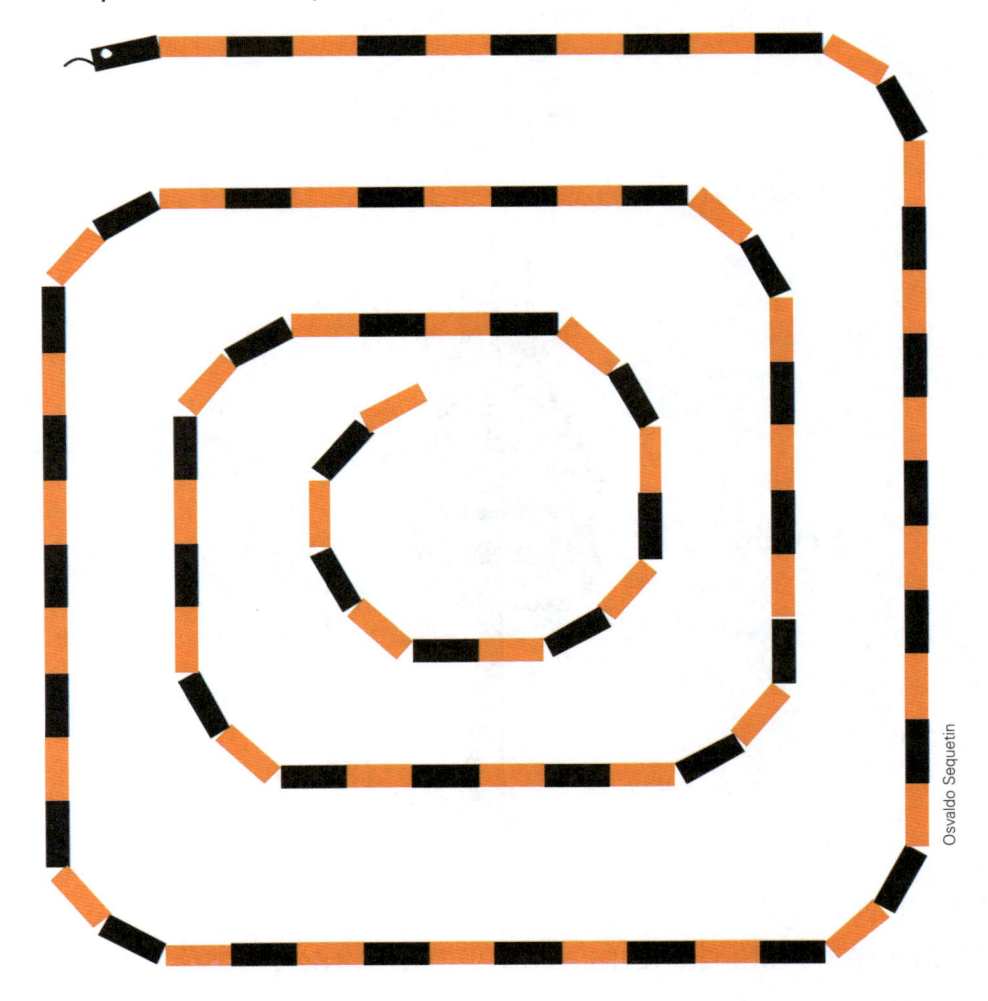

Resposta: A Coral Coralinda tem _____ cm.

2 O menor submarino do mundo

Com o apelido de Serafina, foi construído na Austrália o menor submarino que existe. Ele tem apenas 40 centímetros de comprimento. Seu pequeno tamanho torna fácil as pesquisas nos mais diversos lugares no fundo do mar.

Disponível em: http://cienciahoje.uol.com.br/2869. Acesso em: 17 maio 2008.

Vamos determinar a distância percorrida pelo submarino Serafina para contornar a ilha Pequena?

40 centímetros de comprimento.

Ilha Pequena

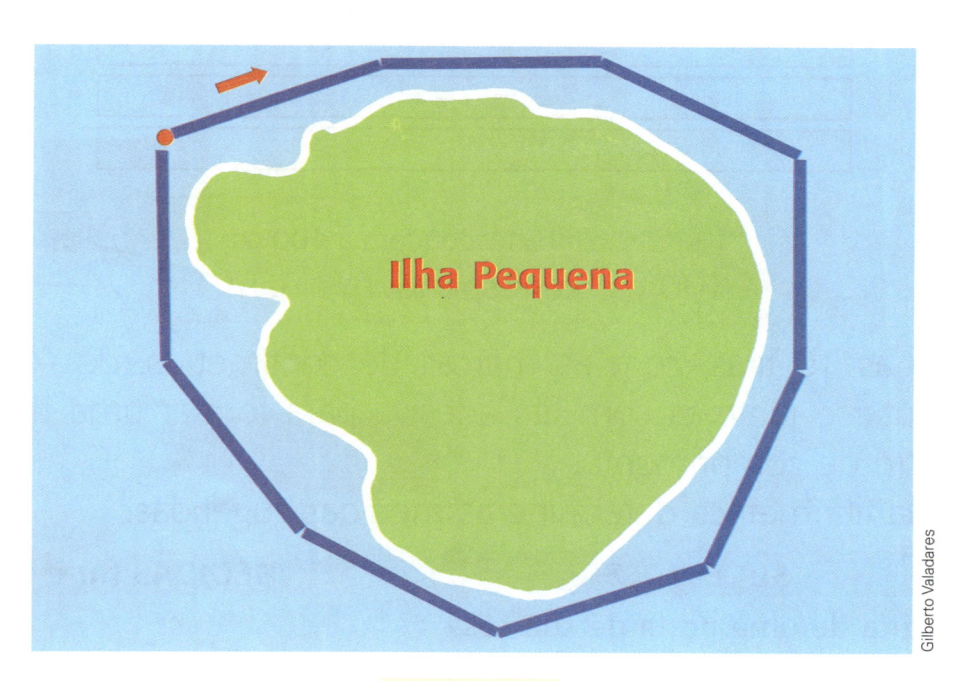

```
    4 0
×     9
─────────
  3 6 0
```

Resposta: Serafina percorreu a distância de ____ vezes seu tamanho: ____ × 40. Ou seja, ____ centímetros.

3 100 centímetros – O metro

Cada tira cor de rosa tem 10 centímetros de comprimento. Observe:

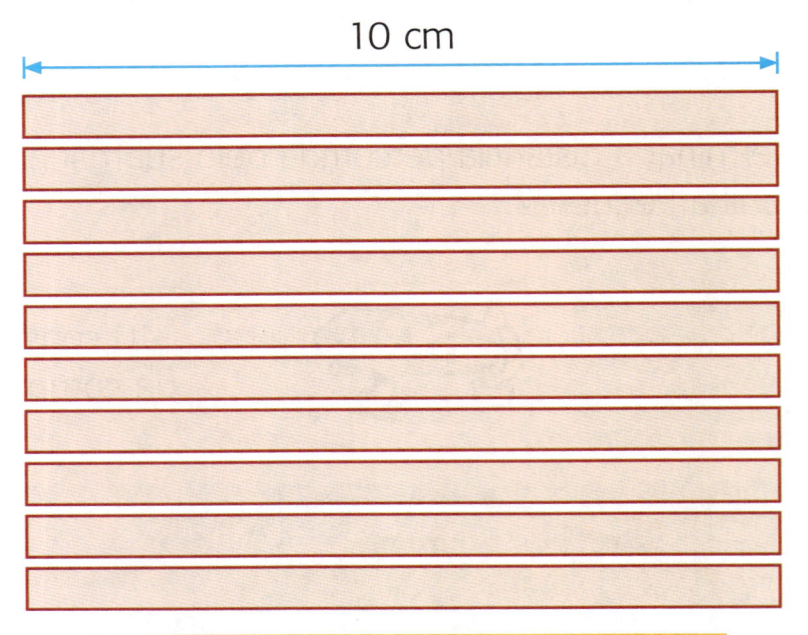

10 cm

10 × 10 cm correspondem a 100 cm.
100 cm correspondem a 1 m.

1 metro

Recorte as 10 tiras, com as marcas de centímetros, de seu material complementar e junte-as com fita adesiva para formar uma **fita métrica** com 1 metro de comprimento.

Com sua fita métrica determine as medidas sugeridas.

SUGESTÕES	MEDIDAS (m e cm)
altura de uma porta de sua casa	
largura do corredor de uma casa	
altura de um muro	
largura de uma calçada	
altura de uma geladeira	
largura de um portão	
altura de um parente	

4 Morro do Corcovado e Cristo Redentor

Com 710 metros de altitude, o morro do Corcovado na cidade do Rio de Janeiro abriga a Estátua do Cristo Redentor, que, contando sua base, tem 38 metros de altura.

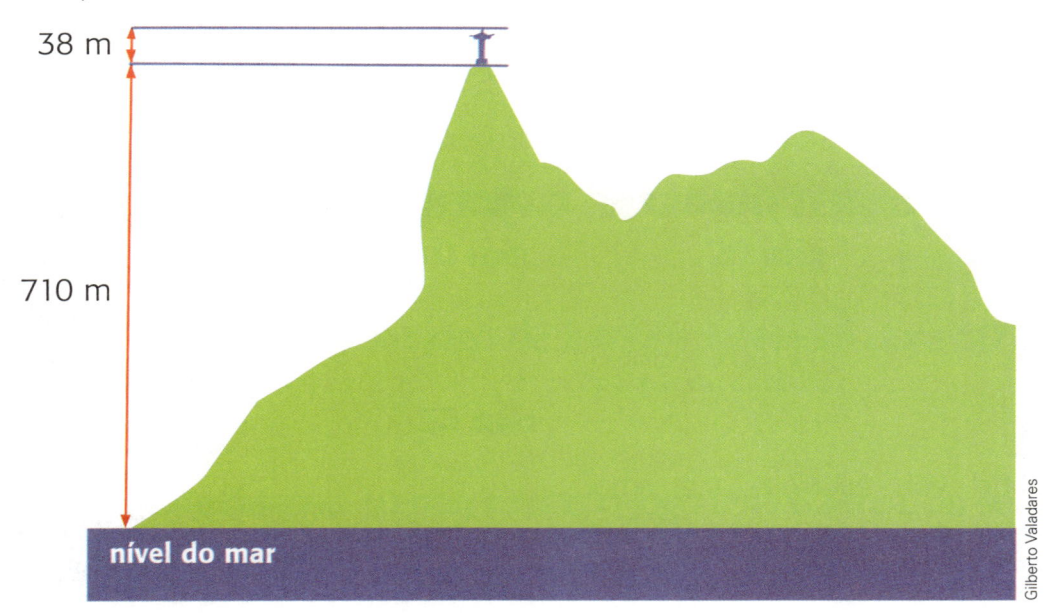

A estátua e o morro não estão na mesma proporção.

Qual é a altitude até o ponto mais alto da estátua?

```
    7 1 0
 +    3 8
  -------
    7 4 8
```

Resposta: Os 710 m do morro do Corcovado com os 38 m da Estátua do Cristo Redentor, contando a base, resultam uma soma de _____ m.

Roda de conversa

- Em sua cidade há montanhas ou morros muito altos? Quais são suas altitudes?
- Há construções muito altas? Uma torre, um prédio...?
- Há alguma espécie de árvore bem alta?

5 A barraca dos robôs-coelhinhos

Na festa junina da escola há uma barraca de robôs-coelhos. Eles só podem andar nas "ruas" do quadriculado. Qual distância cada robô-coelho andou?

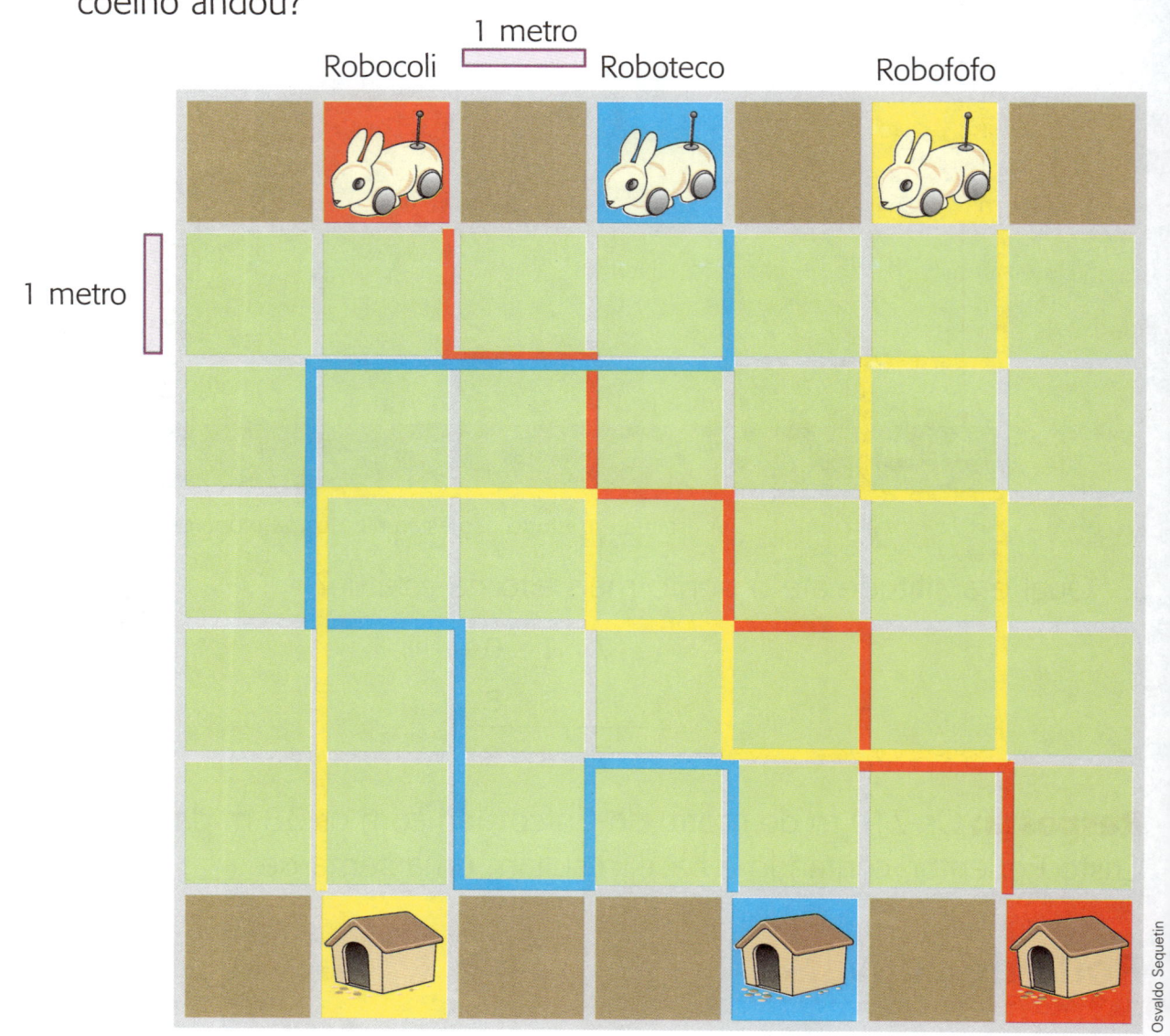

Quantos metros cada robô-coelho percorreu?

ROBÔS-COELHOS	Robocoli	Roboteco	Robofofo
DISTÂNCIAS	____ m	____ m	____ m

2 Vamos ladrilhar? Qual é a área?

> Se esta rua, se esta rua fosse minha
> Eu mandava, eu mandava ladrilhar...
>
> Domínio público

Esta rua foi recoberta por lajotas com formato quadrado.

Esta lajota é a unidade de medida de área para recobrir a superfície plana desta rua.

Para recobrir esta superfície foram empregadas 30 lajotas. Portanto, sua **área** é igual a 30 lajotas quadradas.

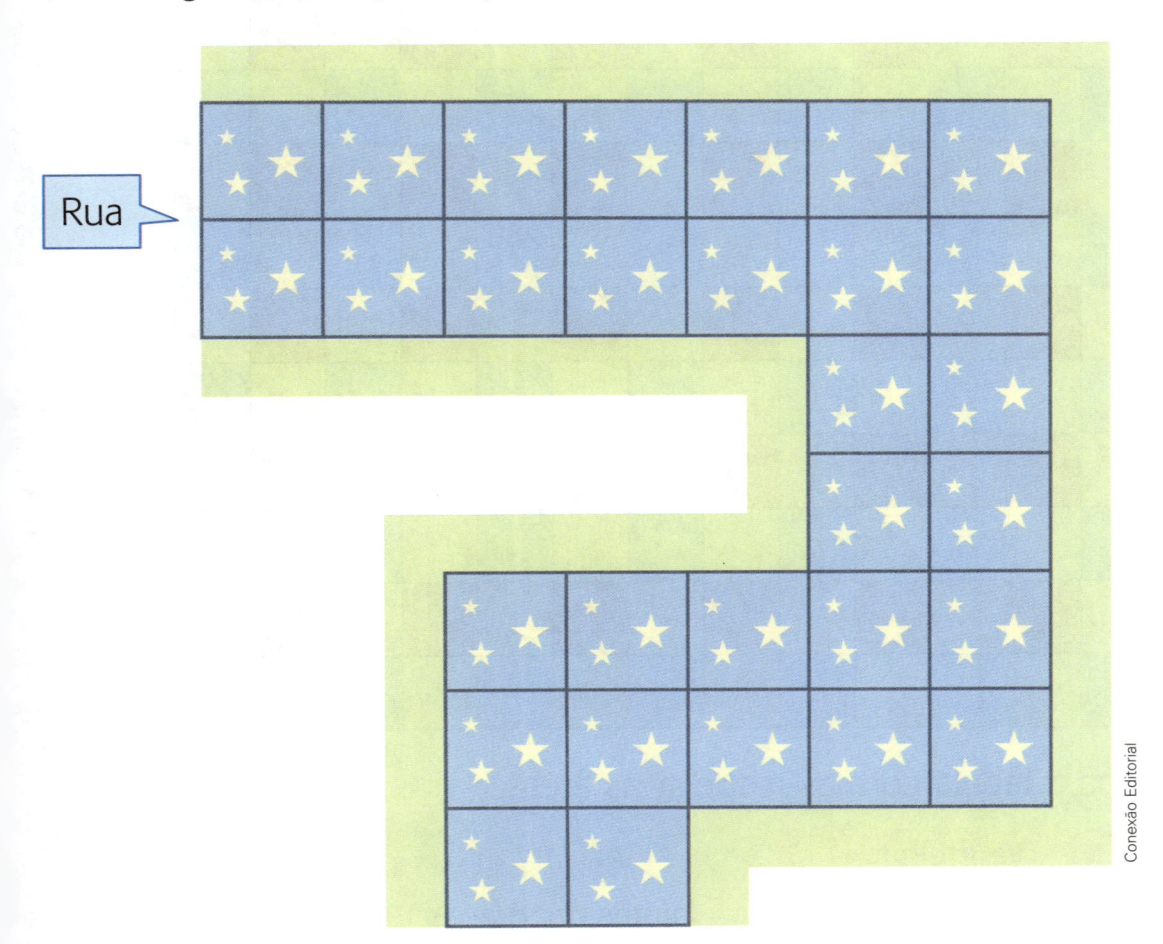

Rua

127

PARA VOCÊ PENSAR... FAZER E DESCOBRIR

1 Parque das Cores

O pátio do Parque das Cores foi recoberto por lajotas com formato quadrado nas cores azul, vermelha e amarela. Todas as lajotas de mesmo tamanho.

Quais são as áreas recobertas por estas lajotas coloridas?
Cada cor, em separado.

Preencha a tabela com as respectivas áreas.

LAJOTA	Vermelha	Azul	Amarela
ÁREA	___ lajotas quadradas	___ lajotas quadradas	___ lajotas quadradas

2. Vitral multicolorido

Siga a mesma distribuição das cores e complete a pintura do vitral multicolorido da prefeitura da cidade de Coralinópolis.
Depois, indique a área correspondente a cada cor.

Após pintar o vitral, preencha a tabela com a área correspondente a cada cor.

Vidro	Área
vermelho	___ vidros quadrados
verde	___ vidros quadrados
roxo	___ vidros quadrados
amarelo	___ vidros quadrados

3 Área de uma superfície retangular

Com 12 lajotas quadradas é possível recobrir as seguintes formas retangulares:

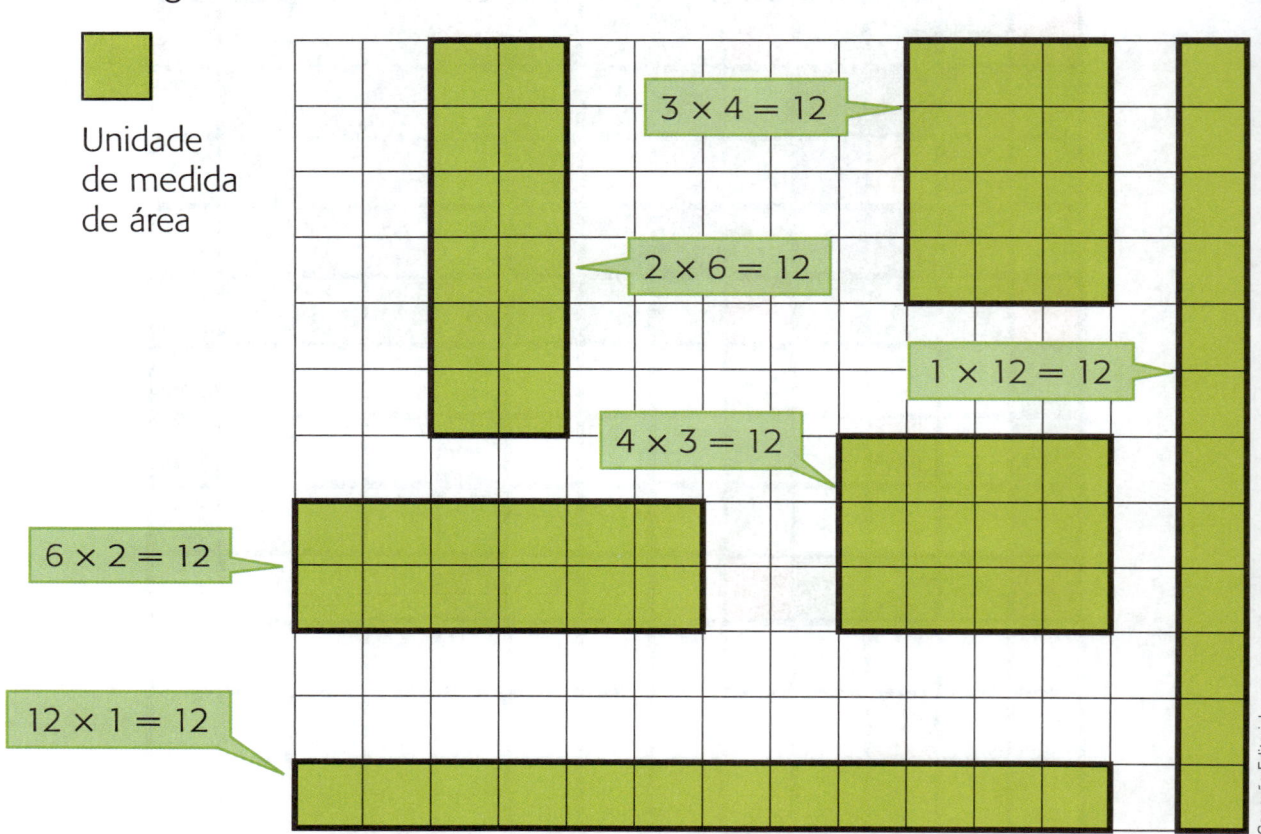

Unidade de medida de área

3 × 4 = 12
2 × 6 = 12
1 × 12 = 12
4 × 3 = 12
6 × 2 = 12
12 × 1 = 12

Cada uma dessas formas retangulares tem 12 lajotas quadradas de área. Complete a tabela.

Formas retangulares	Áreas
1 × 12 = 12	12 lajotas quadradas
12 × _____ = 12	_____ lajotas quadradas
2 × 6 = _____	12 lajotas quadradas
_____ × 2 = 12	_____ lajotas quadradas
3 × _____ = 12	_____ lajotas quadradas
4 × _____ = _____	12 lajotas quadradas

4 Superfície retangular com 20 lajotas quadradas

Desenhe e pinte as formas retangulares que têm 20 lajotas quadradas de área.

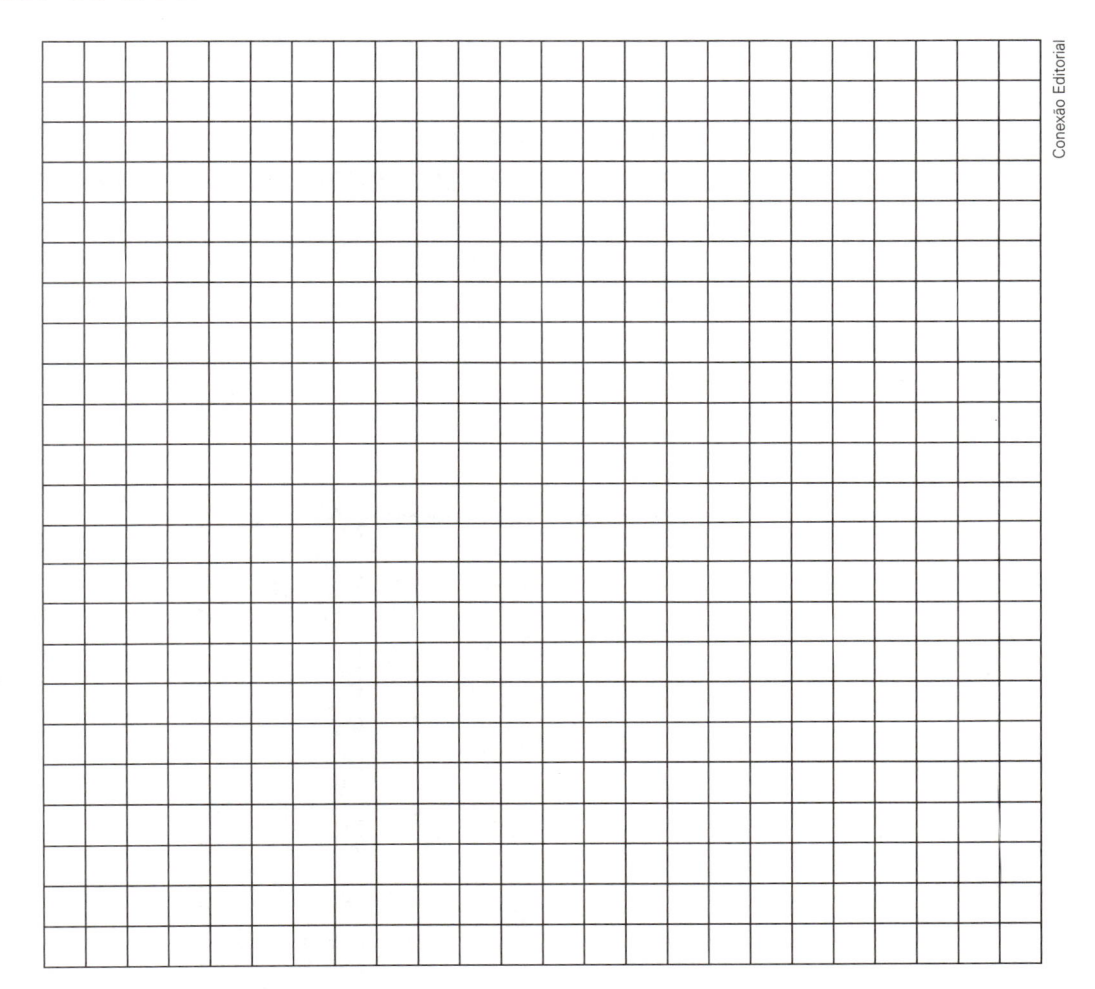

Complete a tabela.

Formas retangulares	Áreas
1 × 20 = _____	20 lajotas quadradas
20 × _____ = 20	_____ lajotas quadradas
2 × 10 = _____	20 lajotas quadradas
_____ × 2 = 20	_____ lajotas quadradas
4 × _____ = 20	_____ lajotas quadradas
5 × _____ = _____	20 lajotas quadradas

3 Volume e capacidade de "mãos dadas"

Volume de um cubo

O cubo é um sólido geométrico. Ele ocupa uma parte do espaço. Para saber o espaço que um cubo ocupa é preciso conhecer seu **volume**.

Este cubinho é a unidade de medida de volume para "formar" o cubo maior. Neste exemplo, o cubinho tem 1 cm de lado, tal como no material dourado.

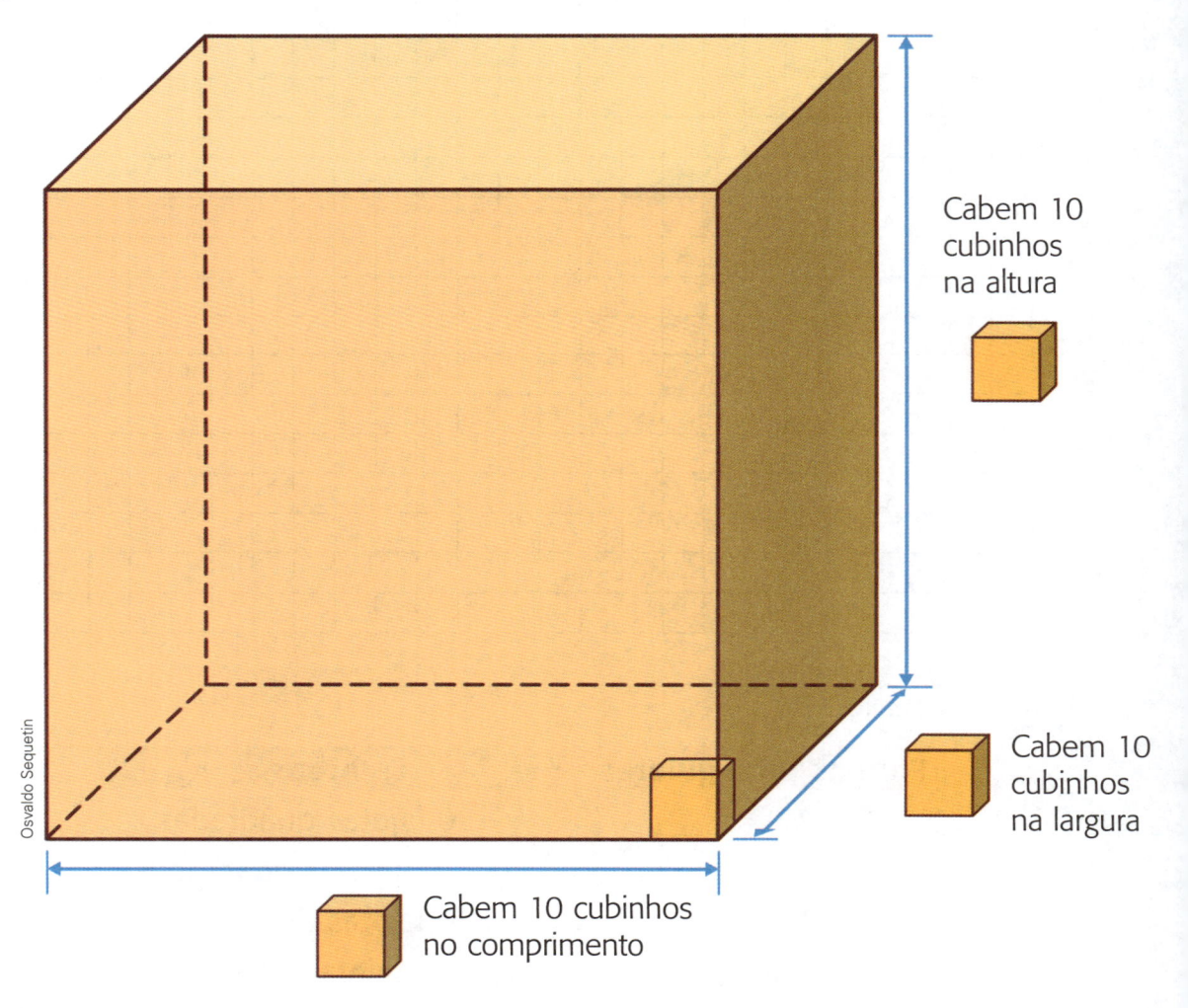

Cabem 10 cubinhos na altura

Cabem 10 cubinhos na largura

Cabem 10 cubinhos no comprimento

O volume do cubo maior corresponde ao número de todos os cubinhos que o formam.

Capacidade de uma embalagem em forma de cubo

Uma embalagem com o formato de um cubo, por exemplo, pode conter líquido ou produtos granulados como cereais etc.

Para saber a quantidade de produto que essa embalagem pode conter é preciso conhecer sua **capacidade**.

O **litro** é a *unidade padrão de medida de capacidade* dos recipientes.

Uma caixa com o formato de um cubo, com 10 cm de comprimento, 10 cm de largura e 10 cm de altura tem **capacidade de 1 litro**.

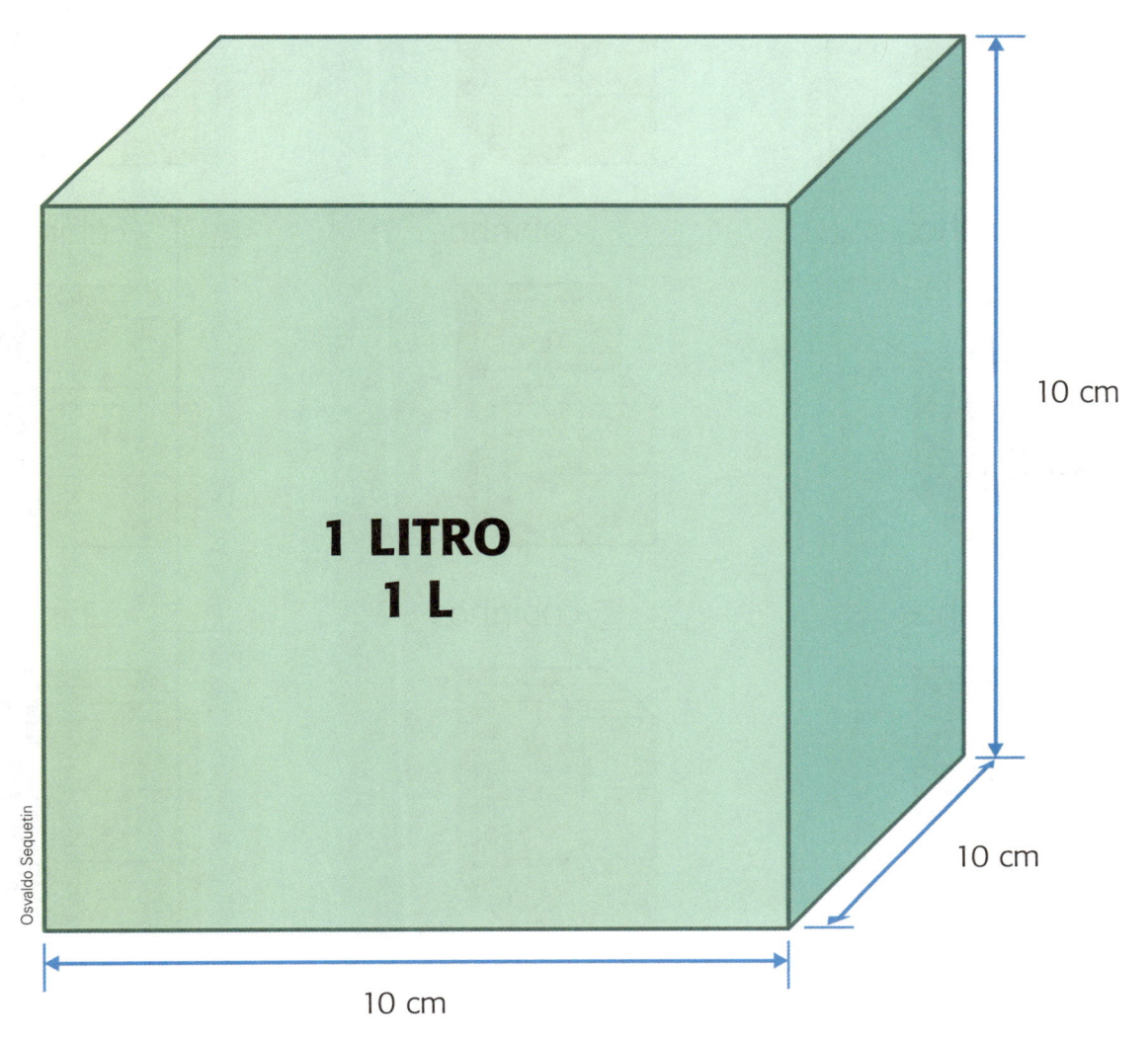

1 LITRO
1 L

10 cm

10 cm

10 cm

Osvaldo Sequetin

PARA VOCÊ PENSAR... FAZER E DESCOBRIR

1 Quantos cubinhos? Qual é o volume?

Qual é o volume de cada pilha de cubinhos?

_____ cubinhos 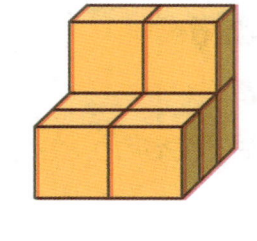   _____ cubinhos    _____ cubinhos

_____ cubinhos 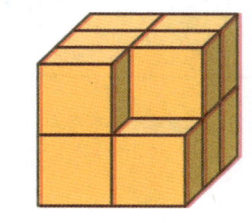   _____ cubinhos    _____ cubinhos

_____ cubinhos    _____ cubinhos    _____ cubinhos

_____ cubinhos    _____ cubinhos   _____ cubinhos

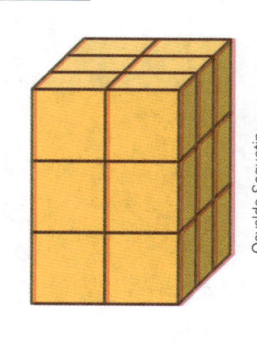

Osvaldo Sequetin

134

2 Qual é o volume do boneco colorido?

Independente da cor, cada cubinho corresponde a **1 unidade** de medida de volume. Conte os cubinhos e escreva o volume deste boneco colorido.

O volume deste boneco é de _____ cubinhos.

3 Meio litro, um litro e dois litros

Estas três garrafas de água têm capacidades diferentes:

MEIO LITRO   UM LITRO   DOIS LITROS

Escreva a capacidade total das garrafas de cada prateleira.

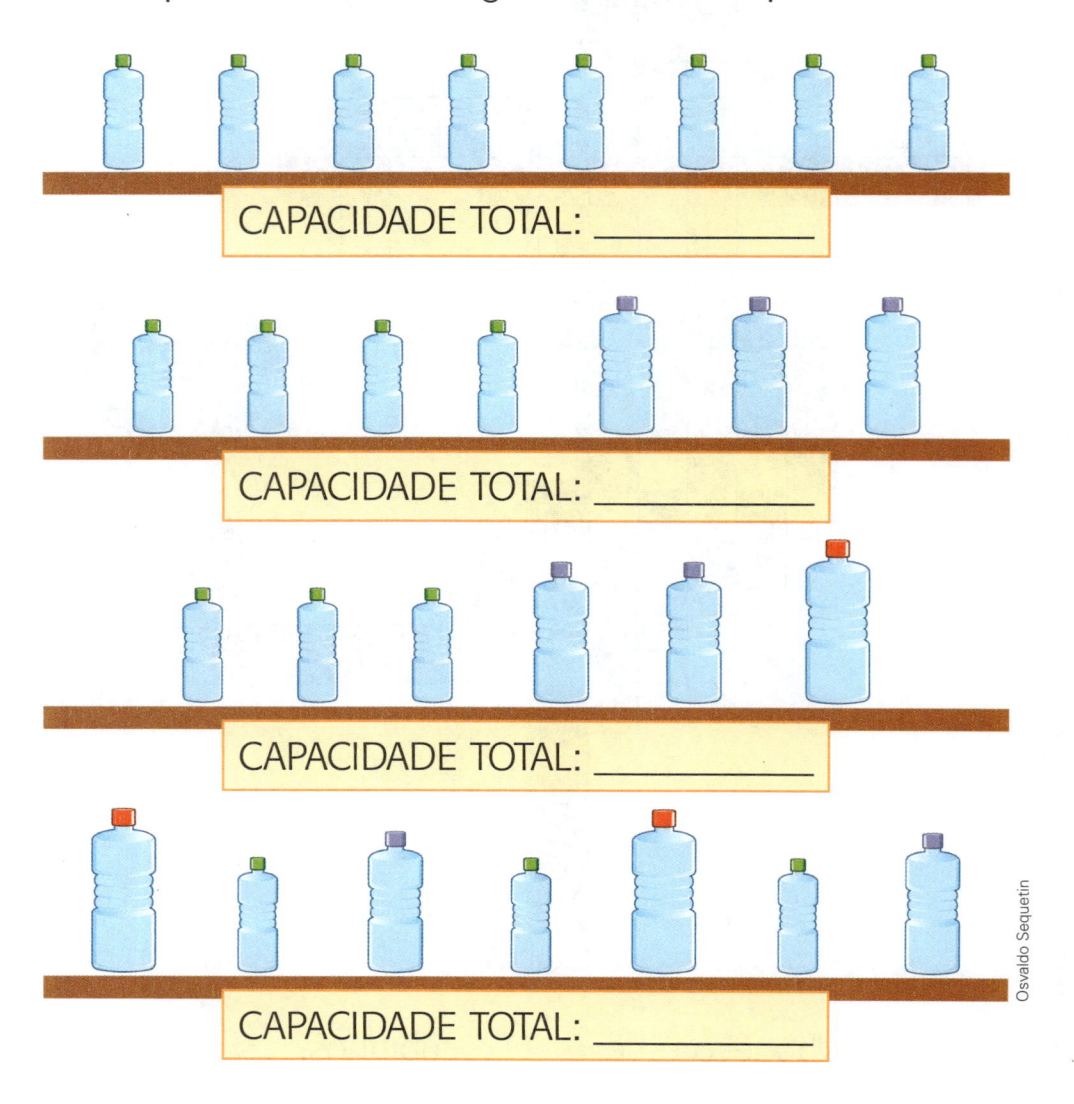

CAPACIDADE TOTAL: _____

CAPACIDADE TOTAL: _____

CAPACIDADE TOTAL: _____

CAPACIDADE TOTAL: _____

4 Embalagens de leite e derivados

O leite e muitos produtos derivados do leite são comercializados em embalagens com formato de bloco retangular.

UM LITRO DE LEITE

MEIO LITRO DE CREME DE LEITE

QUARTA PARTE DE UM LITRO DE IOGURTE

Escreva a capacidade total correspondente a cada quantidade de produto.

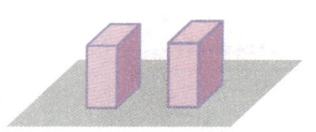

- As 2 embalagens de iogurte contêm meio _____ de iogurte.

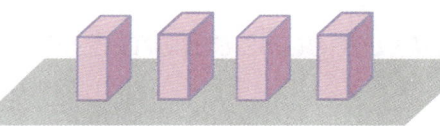

- As 4 embalagens de iogurte contêm _____ litro de iogurte.

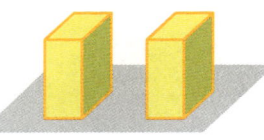

- As 2 embalagens de creme de leite contêm _____ litro de creme.

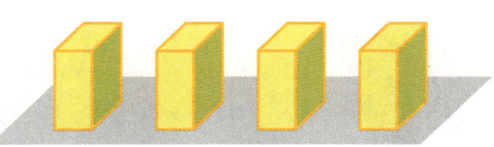

- As 4 embalagens de creme de leite contêm _____ litros de creme.

- Uma caixa com uma dúzia de embalagens de leite contém _____ litros de leite.

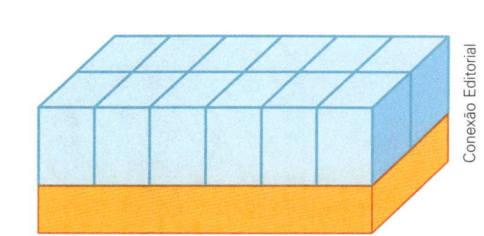

137

4 Pesagem! Qual é a carga?

Uma caminhonete está conduzindo uma carga em três caixas de 600 quilogramas no total. São caixas que apresentaram as seguintes pesagens: 300 kg, 200 kg e 100 kg.

O quilograma (kg) é a unidade padrão de medida de massa.

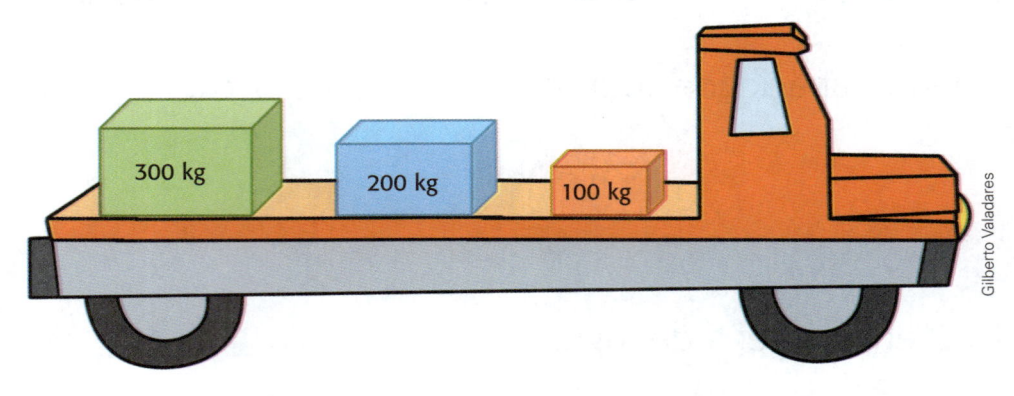

Se a caminhote levasse apenas 2 caixas por vez, quais seriam as massas totais?

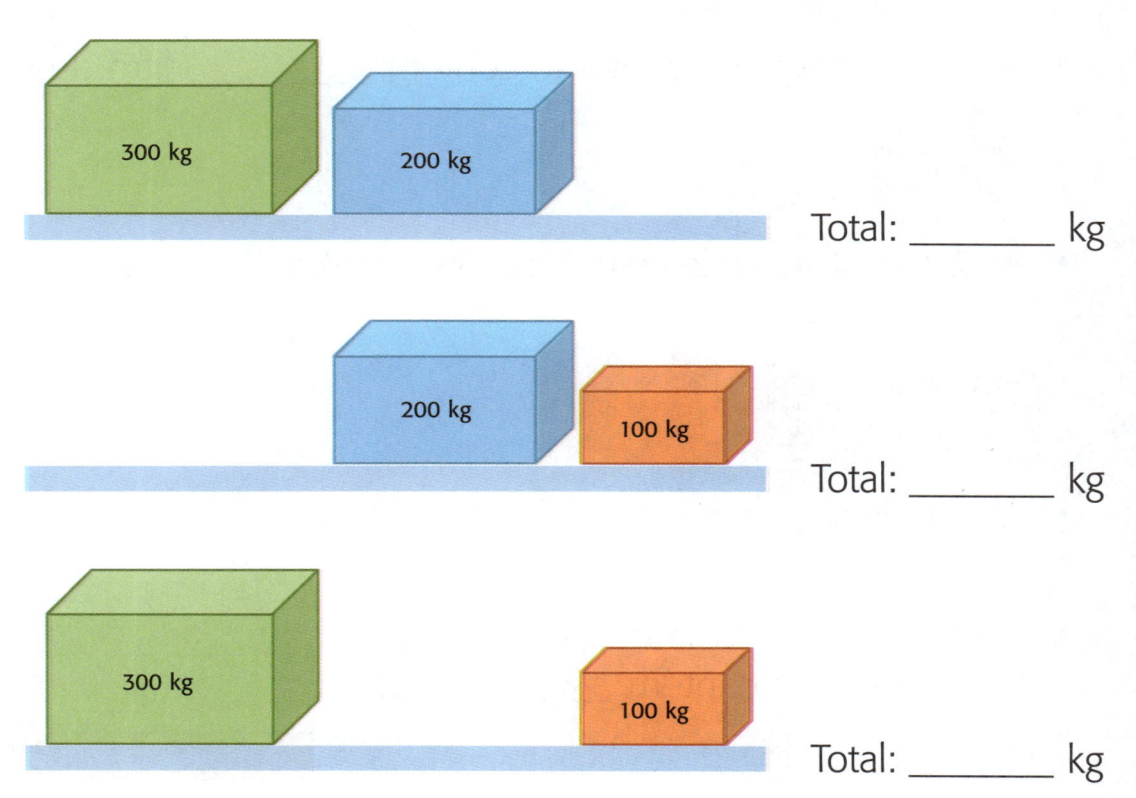

300 kg   200 kg   Total: _____ kg

200 kg   100 kg   Total: _____ kg

300 kg   100 kg   Total: _____ kg

PARA VOCÊ PENSAR... FAZER E DESCOBRIR

1   Um litro de água – Um quilograma

O conteúdo correspondente a um litro de água tem massa de um quilograma.

1 L de água ➡ 1 kg

Qual é a massa de água que cada caixa cheia contém?
Atenção: somente a massa de água, claro! Sem a "embalagem".

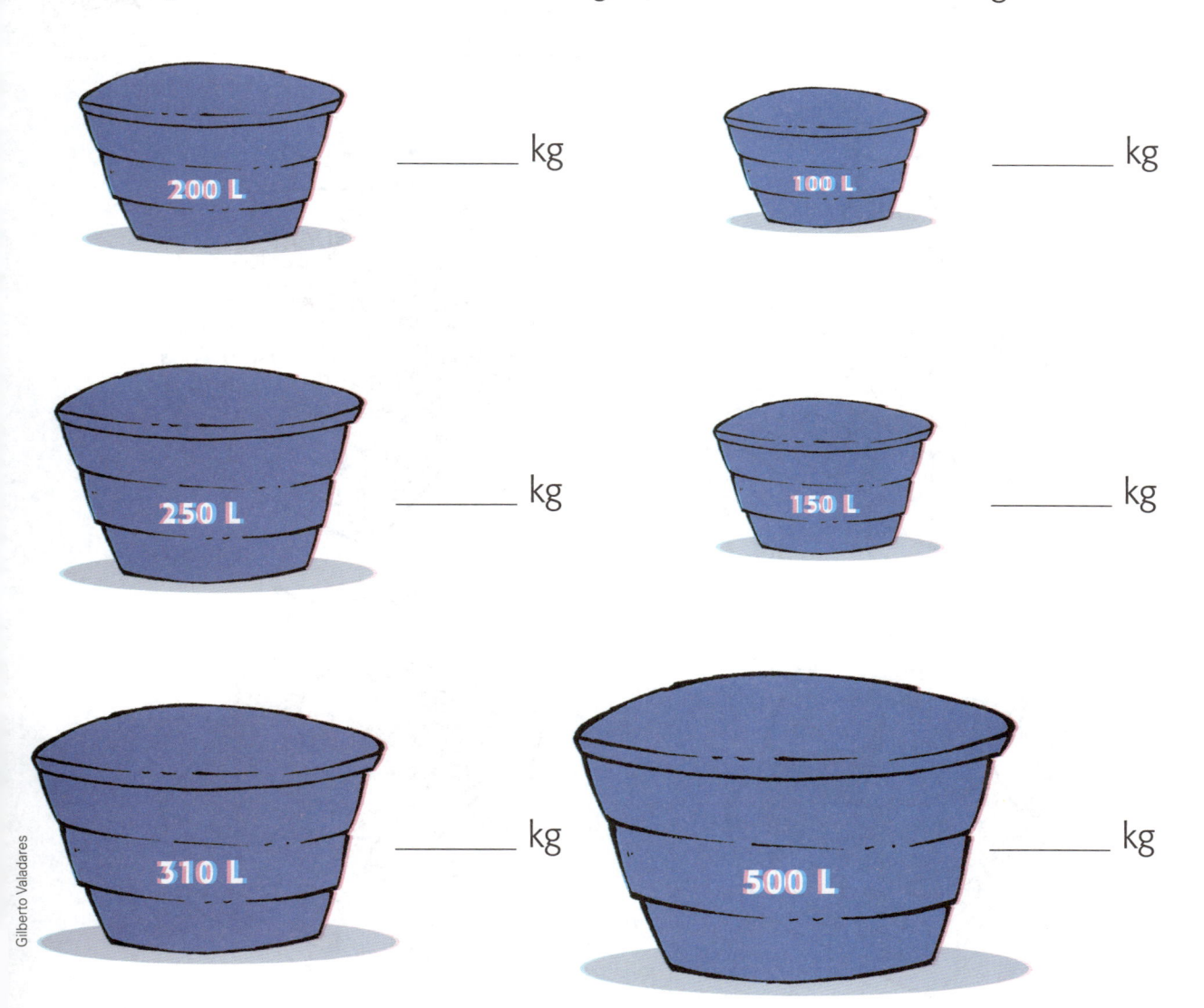

200 L _____ kg

100 L _____ kg

250 L _____ kg

150 L _____ kg

310 L _____ kg

500 L _____ kg

2 Pesagem de alimentos

Qual é a massa total dos alimentos de cada cesta?
- Um pacote de açúcar tem um quilograma.
- Um pacote de pó de café tem meio quilograma.
- Um pacote de fubá tem a quarta parte de um quilograma.

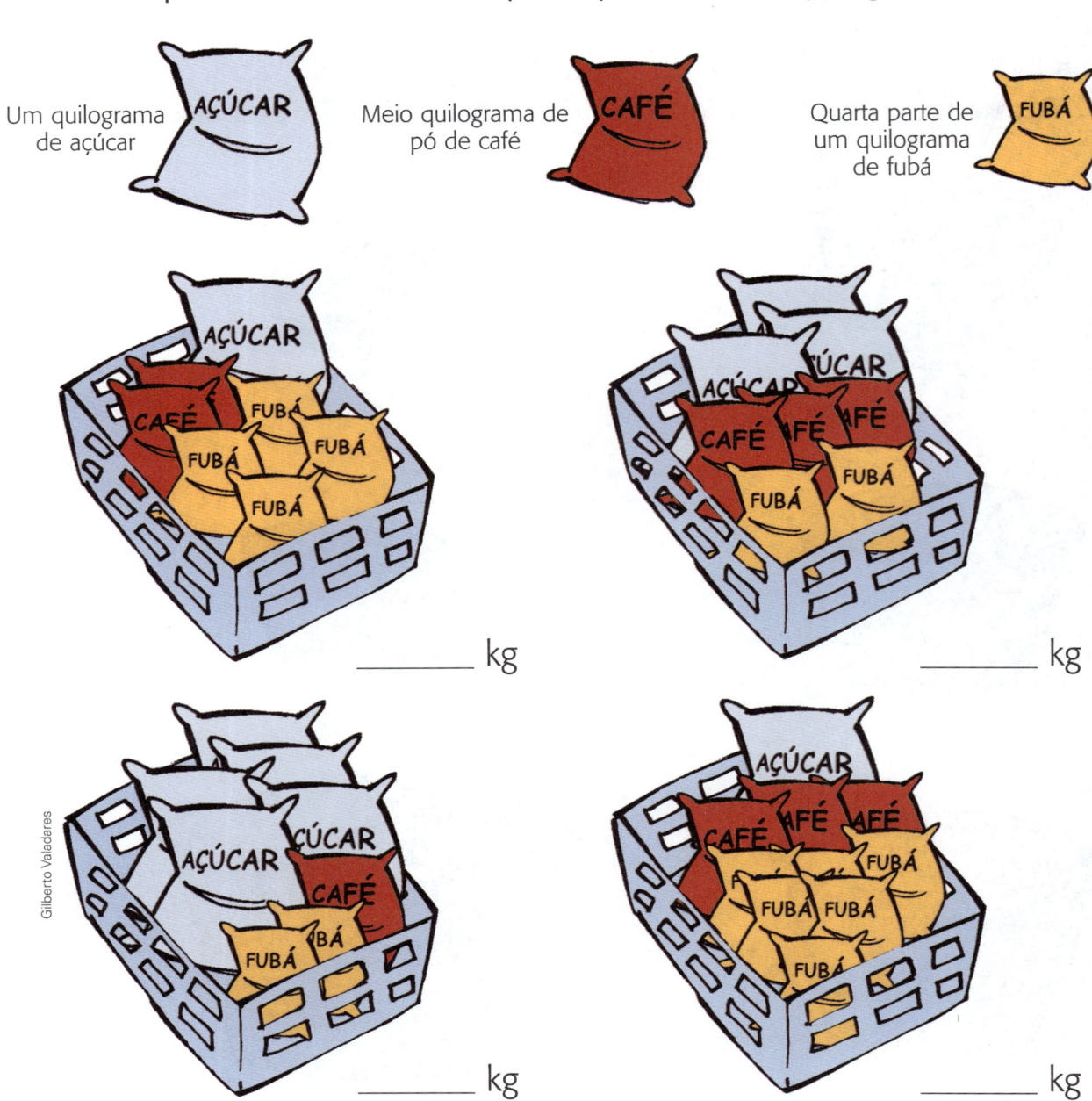

Um quilograma de açúcar

Meio quilograma de pó de café

Quarta parte de um quilograma de fubá

_____ kg

_____ kg

_____ kg

_____ kg

4 Tem hora pra tudo! Vamos jogar?

O Campeonato de Futebol Pré-mirim é disputado em partidas de 40 minutos, em dois tempos de 20 minutos, com um intervalo de 10 minutos.

PRIMEIRO TEMPO	INTERVALO	SEGUNDO TEMPO
20 min	10 min	20 min

Contando o intervalo, um jogo de futebol pré-mirim dura 50 minutos.

50 min

Caso a partida durasse 10 min a mais o jogo teria 60 min, ou seja, 1 hora.

50 min	10 min
60 min ou 1 hora	

Curiosidade: Para registrar o tempo de partida, o árbitro do jogo usa um cronômetro, que é um tipo especial de relógio.

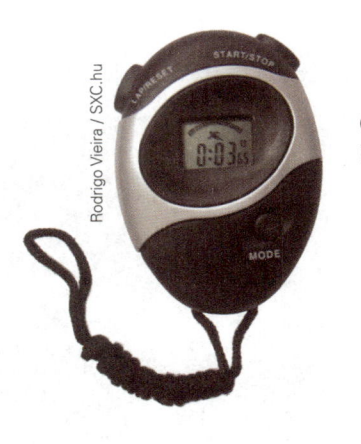

CRONÔMETRO ANALÓGICO

CRONÔMETRO DIGITAL

Para mostrar o resultado e o tempo de jogo aos torcedores, atualmente os estádios empregam um placar eletrônico.

PARA VOCÊ PENSAR... FAZER E DESCOBRIR

1 Mini-basquete

De acordo com a Federação Internacional de Basquete:

"O mini-basquete é um jogo com base no basquete e indicado para meninos e meninas com 12 anos ou menos, aferidos no início da competição.

O jogo consiste em dois períodos de 20 minutos cada, com intervalo de 10 minutos entre eles. Cada período é dividido em 2 períodos de 10 minutos cada, com um intervalo de 2 minutos entre eles."

Disponível em: http://www.cbb.com.br/conheca_basquete/conheca_basquete_regras.asp
Acesso em: 25 maio 2008.

Complete o esquema com os 4 tempos de jogo e os intervalos:

TEMPO 1	INTERV.	TEMPO 2	INTERV.	TEMPO 3	INTERV.	TEMPO 4
___min	2 min	___min	10 min	___min	2 min	___min

Qual é o tempo total de um jogo de mini-basquete, contando os intervalos?

___min

- Uma partida de mini-basquete começou às 9 horas da manhã e teve uma duração normal de 54 minutos. Dois torcedores conferiram o horário ao término do jogo em relógios diferentes:

O jogo terminou às ____ horas e _____ minutos.

2 Tempo dos jogos e intervalos

COM A AJUDA DE UM ADULTO DE SUA FAMÍLIA E DO PROFESSOR, PESQUISE OS TEMPOS DOS SEGUINTES JOGOS E SEUS INTERVALOS.

FAÇA ESQUEMAS PARA ILUSTRAR SUAS PESQUISAS.

1 Jogo de basquete profissional

2 Jogo de futebol profissional

3 Jogo de handebol profissional

6 Curiosidade visual

1
Qual distância é maior?
AB ou BC?

2
Qual linha continua em *r*?
a, *b* ou *c*?

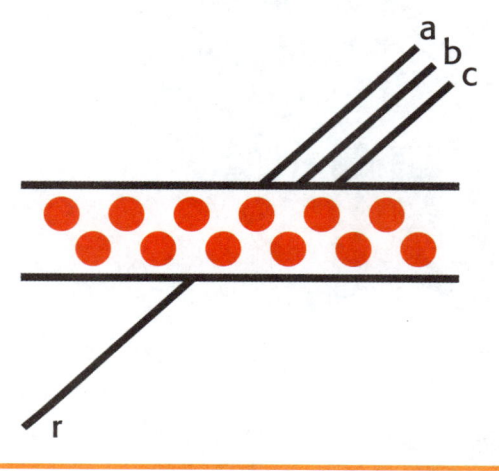

3
O que você vê?

4
O que é, o que é?

Respostas: 1 AB = BC; **2** A linha b é continuação de r; **3** As 4 setas amarelas ou a letra H?; **4** A palavra NEVE.

Osvaldo Sequetin

144

7 Matemática e arte
A pintura indígena

A pintura geométrica indígena brasileira está presente nas cerâmicas de uso utilitário como potes e panelas, nos bonecos de barro e madeira chamados lilicós, na decoração de máscaras e, também, na pintura corporal.

AS LINHAS EM ZIGUE-ZAGUE E AS FORMAS TRIANGULARES SÃO ENCONTRADAS COM FREQUÊNCIA.

Arte indígena em exposição para comercialização, na Casa do Artesão, em Cuiabá, Mato Grosso.

As cores na pintura indígena são obtidas diretamente da natureza. A tonalidade arroxeada vem do jenipapo; o preto, do pó de carvão; o avermelhado, do urucum; o amarelado, de algumas raízes; o branco, do barro, que chamam de tabatinga...

Com as cores da pintura indígena brasileira, e aplicando as formas que você observou, desenhe e pinte um painel para ser colocado no mural da classe. Faça aqui uma amostra de seu trabalho.

Alguns artistas brasileiros empregam motivos indígenas para realizar suas obras. Veja estas pinturas de Zélio Alves Pinto, para a Exposição Ameríndios II.

Fotos: Zélio Alves Pinto

Com papéis coloridos, faça colagens com motivos das pinturas dos índios brasileiros.

Nesta malha quadriculada desenhe e pinte motivos da arte indígena.

Crie outros motivos da arte indígena nesta malha triangular.

GLOSSÁRIO

CONCEITOS VIVENCIADOS NO LIVRO E AMPLIADOS NESTE GLOSSÁRIO

ÁBACO

Instrumento com hastes e argolas ou "contas", usado para fazer contagens e para efetuar operações matemáticas.

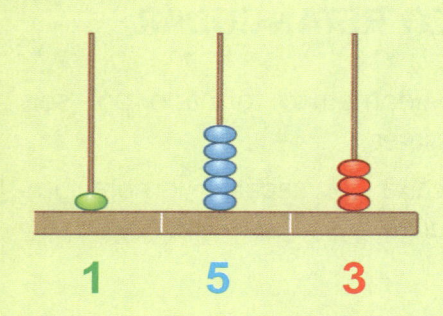

1   5   3

ADIÇÃO

Operação matemática associada à ideia de juntar quantidades ou acrescentar uma quantidade à outra.

Operação que relaciona dois ou mais números a um resultado chamado **soma**.

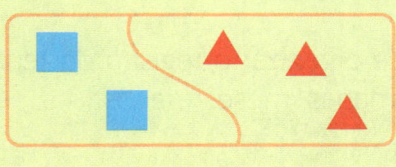

2 + 3 = 5

Essa adição tem **soma** 5.
2 e 3 são as parcelas.

AGRUPAR

Formar coleções. Fazer agrupamentos.

Organizar em grupos.

1 grupo de 12 ou uma **dúzia**.

ALGARISMOS

Símbolos usados para representar números. Podem ser letras, sinais, figuras etc.

15 XV   51 LI

ALGARISMOS INDO-ARÁBICOS

Algarismos criados pelos hindus e divulgados pelos árabes em diversas regiões, por meio do comércio.

0 1 2 3 4 5 6 7 8 9

ALGARISMOS ROMANOS

Algarismos criados pelos romanos e que são representados por letras.

I (um)   C (cem)
V (cinco)   D (quinhentos)
X (dez)   M (mil)
L (cinquenta)

M (mil) será estudado em outros anos.

Ilustrações: Osvaldo Sequetin

151

ALTITUDE

Medida de uma elevação, desde a linha do nível do mar até seu ponto mais alto (topo).

Medida da posição de uma aeronave, um balão ou um objeto em relação ao nível do mar.

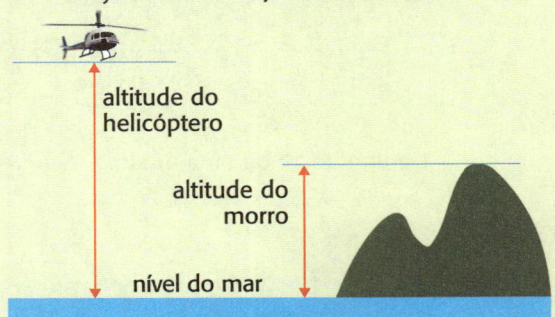

altitude do helicóptero
altitude do morro
nível do mar

ALTURA

Medida referente a um objeto, edifício, pessoa etc.

A altura é medida na vertical, desde sua base de apoio horizontal, até seu ponto mais alto (topo).

Num triângulo, a altura é medida a partir de um lado considerado como base (ou sua extensão) até seu ponto mais alto (vértice).

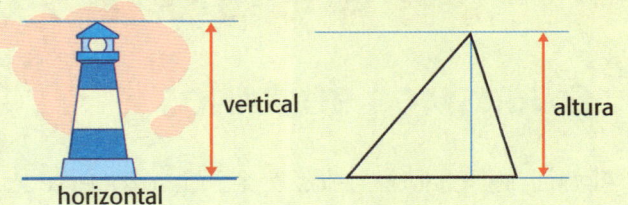

vertical
horizontal
altura

A altura também pode se referir a um sólido geométrico:

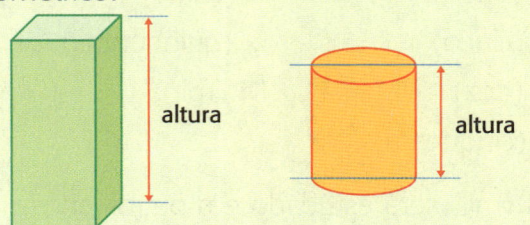

altura
altura

ÁREA

Medida de uma superfície plana, a partir de uma unidade padrão.

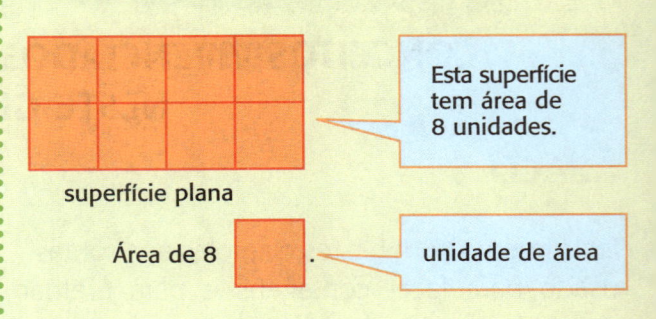

superfície plana
Esta superfície tem área de 8 unidades.
Área de 8 ▢.
unidade de área

BLOCO RETANGULAR

Sólido geométrico formado por seis faces retangulares.

Uma caixa de sapatos lembra um bloco retangular.

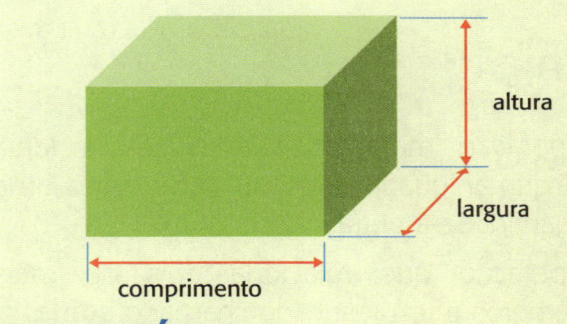

altura
largura
comprimento

CALENDÁRIO

Modo de organizar o registro do tempo, em dias, semanas, meses e anos.

DEZEMBRO DE 2010

D	S	T	Q	Q	S	S
			1	2	3	4
5	6	7	8	9	10	11
12	13	14	15	16	17	18
19	20	21	22	23	24	25
26	27	28	29	30	31	

Ilustrações: Osvaldo Sequetin

152

CAPACIDADE

Medida da quantidade de matéria que um recipiente pode conter.

O litro (**L**) é a unidade padrão para a medida de capacidade.

CENTAVO DE REAL

Valor referente à moeda brasileira.

1 centavo
100 centavos correspondem a 1 real.

Outras moedas:

5 centavos
10 centavos 
25 centavos 
50 centavos 
1 real 

CENTENA SIMPLES

Grupo de 100 unidades simples.

Exemplo com material dourado:

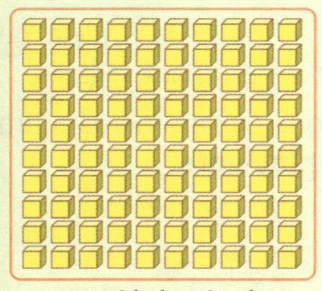

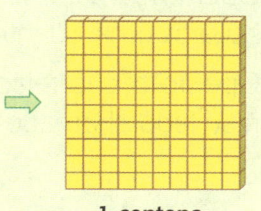

100 unidades simples
1 centena simples

CENTÍMETRO

Unidade de medida de comprimento, símbolo **cm**.

100 centímetros correspondem a 1 metro.

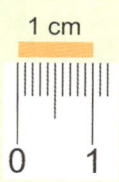

1 cm

CÍRCULO

Figura geométrica plana formada por uma circunferência e por todos os pontos internos a essa circunferência.

CIRCUNFERÊNCIA

Linha curva fechada plana, cujos pontos estão à mesma distância de um ponto chamado centro.

centro

circunferência   círculo

CLASSE DAS UNIDADES SIMPLES

No Sistema de Numeração Decimal, que agrupa os elementos de 10 em 10, a escrita dos números é organizada em **ordens** e **classes**. As três primeiras ordens, da direita para a esquerda, formam a *classe das unidades simples*.

CLASSE DAS UNIDADES SIMPLES		
CENTENAS SIMPLES	DEZENAS SIMPLES	UNIDADES SIMPLES
C	D	U
5	8	3
3ª ORDEM	2ª ORDEM	1ª ORDEM

153

Na representação ⬛ 5 8 3 ⬛, o algarismo:

⬛ 3 ⬛ Indica a "casa" de 1ª ordem;

⬛ 8 ⬛ Indica a "casa" de 2ª ordem;

⬛ 5 ⬛ Indica a "casa" de 3ª ordem.

COMPRIMENTO

Grandeza que expressa uma medida linear: medida de um segmento, de uma linha curva, do lado de um polígono...

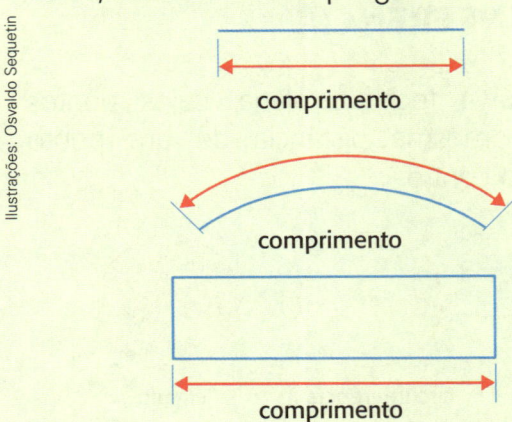

comprimento

comprimento

comprimento

O comprimento também pode se referir a uma dimensão de uma região plana, a aresta de um poliedro e a um sólido geométrico.

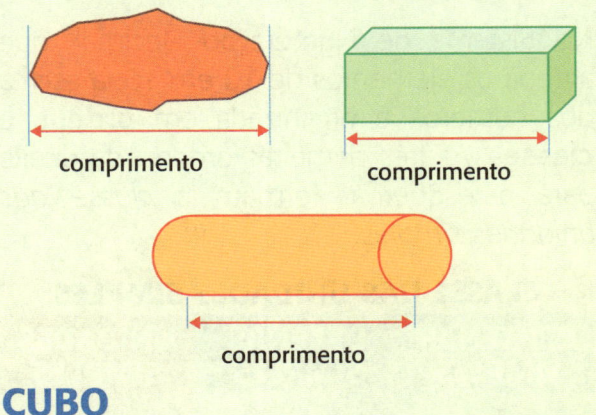

comprimento

comprimento

comprimento

CUBO

Sólido geométrico formado por seis faces quadradas.

Um dado lembra um cubo.

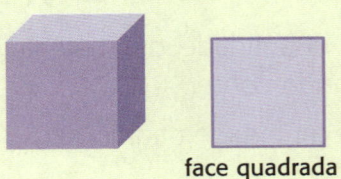

face quadrada

DÉCADA

Período de 10 anos.

Ou, ainda, 10 anos consecutivos.

DEZENA SIMPLES

Grupo de 10 unidades simples.

Exemplo com material dourado:

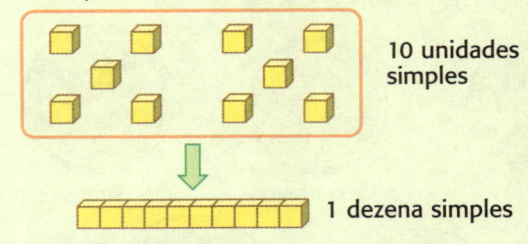

10 unidades simples

1 dezena simples

DISTÂNCIA

Em geometria é o menor comprimento de um ponto a outro ponto.

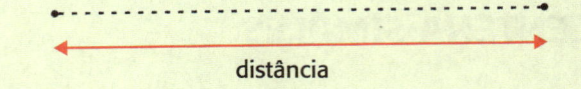

distância

DIVISÃO

Operação matemática associada à ideia de separar uma quantidade em partes iguais.

Operação que relaciona dois números a um resultado chamado **quociente**.

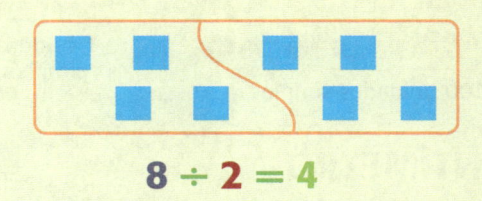

$8 \div 2 = 4$

Essa divisão tem **quociente** 4.

Ilustrações: Osvaldo Sequetin

ESTIMATIVA

Cálculo ou avaliação aproximada para se obter um resultado.

FIGURA SIMÉTRICA

Por meio do recorte de uma folha de papel dobrado, pode-se perceber a ideia de figura simétrica.

Na ilustração, a última imagem mostra que a dobra do papel corresponde ao eixo de simetria de uma figura simétrica.

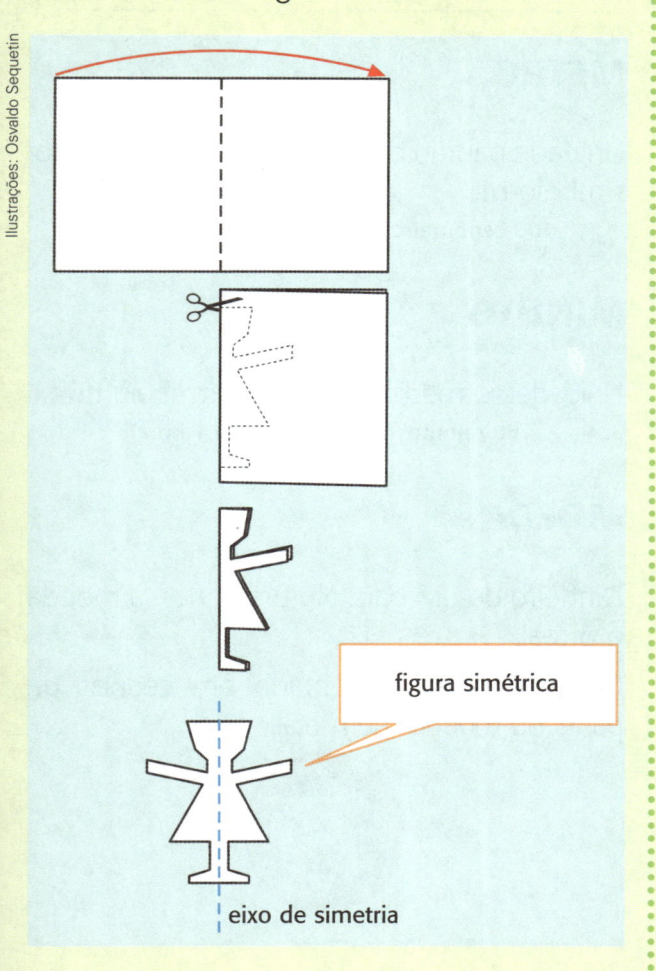

figura simétrica

eixo de simetria

GRÁFICO

Representação visual de dados numéricos ou outras informações estudadas em matemática.

Preferência de calçados das meninas

	SAPATO	TÊNIS	CHINELO	SANDÁLIA
4				■
3		■		■
2	■	■		■
1	■	■	■	■

GRÁFICO DE BARRAS

Representação de informações por meio de formas retangulares horizontais.

Preferência de esportes dos meninos

HANDEBOL	■ ■		
FUTEBOL	■ ■ ■ ■
BASQUETE	■			
VÔLEI	■ ■ ■	

1 2 3 4

HORA

Unidade de medida de tempo, símbolo **h**.

Uma hora corresponde a 60 minutos.

ÍMPAR

Um número é ímpar quando corresponde a uma quantidade em que seus elementos, agrupados de 2 em 2, tem sobra de 1 elemento.

sobra 1

7 é um número ímpar.

155

LARGURA

Grandeza que expressa uma medida linear: a medida do lado de um polígono, a dimensão de uma região plana, a medida da aresta de um poliedro...

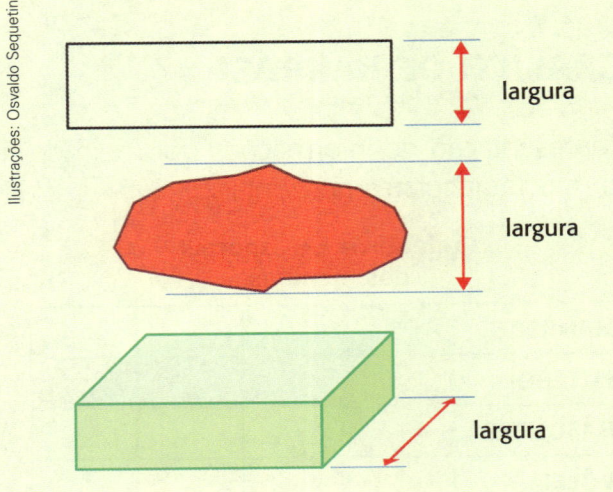

LITRO

Unidade padrão de medida de capacidade, símbolo **L**.

Uma caixa com formato de cubo, com aresta de 10 cm, tem capacidade de 1 litro.

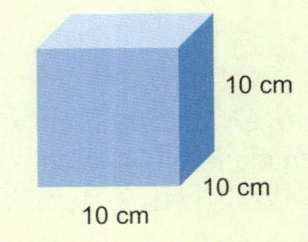

MASSA

Quantidade de matéria de um corpo.

A unidade padrão de medida de massa é o quilograma (**kg**).

MATERIAL DOURADO

Material formado por peças que auxiliam a contagem e as operações matemáticas.

METRO

Unidade padrão de medida de comprimento, símbolo **m**.

100 centímetros correspondem a 1 metro.

MINUTO

Unidade de medida de tempo, símbolo **min**.

60 minutos correspondem a 1 hora.

MOEDA

Dinheiro de um país. No Brasil, nossa moeda é o real.

O dinheiro é apresentado em cédulas de papel ou moedas de metal.

MULTIPLICAÇÃO

Operação matemática associada à ideia de adição de parcelas iguais.

Operação que relaciona dois ou mais números a um resultado chamado **produto**.

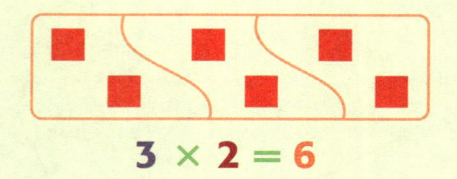

3 × 2 = 6

Essa multiplicação tem **produto 6**.

3 e **2** são os fatores.

NÚMERO "QUEBRADO"

Conceito que relaciona um *inteiro* e suas *partes*.

Uma figura, que representa um inteiro, pode ser dividida em partes iguais.

Cada parte (ou partes) desse inteiro corresponde a um número "quebrado".

Inteiro dividido em 3 partes iguais:

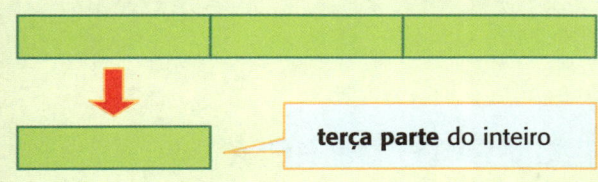

terça parte do inteiro

Inteiro dividido em 4 partes iguais:

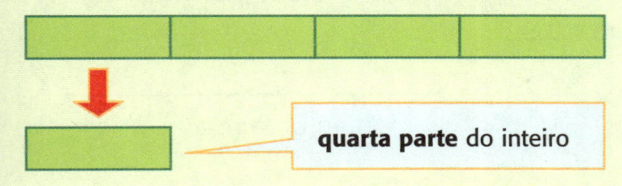

quarta parte do inteiro

PAR

Número que representa uma quantidade em que seus elementos, agrupados de 2 em 2, não apresenta sobra.

6 é um número par.

PERÍMETRO

Medida do contorno de uma região.

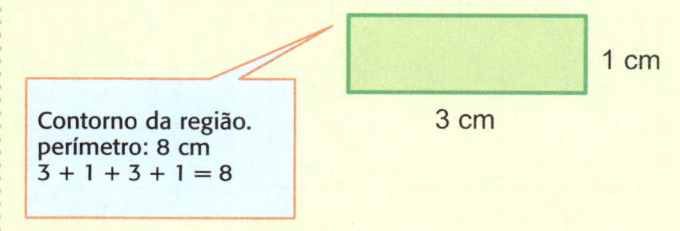

1 cm
3 cm

Contorno da região.
perímetro: 8 cm
3 + 1 + 3 + 1 = 8

Soma das medidas dos lados de um polígono.

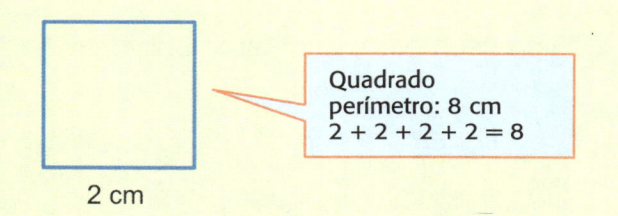

2 cm

Quadrado
perímetro: 8 cm
2 + 2 + 2 + 2 = 8

O perímetro também pode se referir ao contorno de um círculo, ou seja, ao comprimento de uma circunferência.

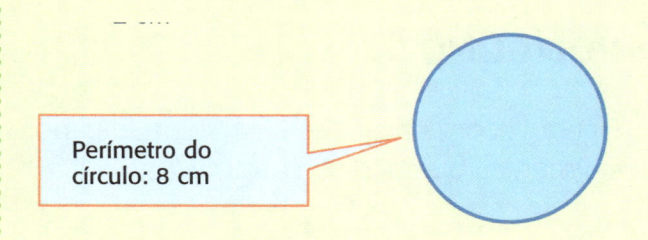

Perímetro do círculo: 8 cm

O comprimento dessa circunferência é 8 cm.

Portanto, o perímetro desse círculo é 8 cm.

Ilustrações: Osvaldo Sequetin

PICTOGRAMA

Gráfico com informações representadas por meio de recursos artísticos.

Preferências de brinquedos educativos

	Tangram	Blocos lógicos
4	▲	
3	▲	▬
2	▲	▬
1	▲	▬

Ilustrações: Osvaldo Sequetin

POLIEDRO

Sólido geométrico com faces poligonais.

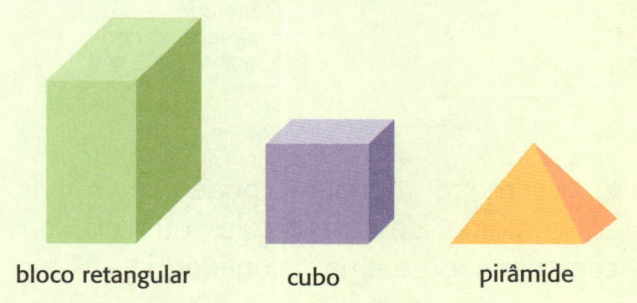

bloco retangular   cubo   pirâmide

POLÍGONO

Figura geométrica fechada formada por segmentos que não se cruzam.

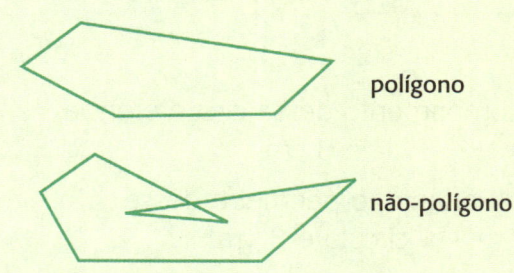

polígono

não-polígono

QUADRILÁTERO

Polígono de 4 lados.

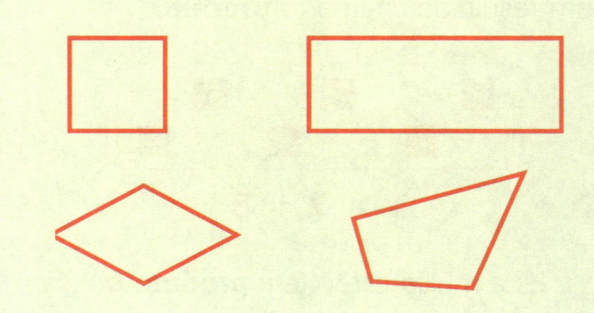

QUILOGRAMA

Unidade padrão de medida de massa, símbolo **kg**.

RETA NUMERADA

Representação gráfica em que os números 0, 1, 2, 3, 4, 5, ... são posicionados em uma reta como mostra esta figura:

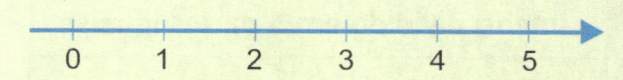

0   1   2   3   4   5

SEGMENTO DE RETA

Parte de uma reta limitada por dois de seus pontos.

reta
segmento de reta

SEQUÊNCIA

Ordenação de figuras, números, letras ou objetos, de acordo com uma lei de formação ou regra.

158

Exemplo de sequência:

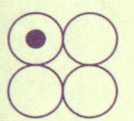

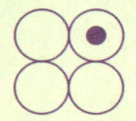

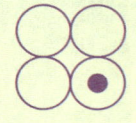

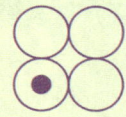

Lei ou regra: nesse exemplo, a cada passo, a bolinha "roda" no sentido dos ponteiros do relógio.

Qual é a próxima figura dessa sequência?

SÓLIDOS GEOMÉTRICOS

Figuras geométricas em três dimensões, ou seja, que tem comprimento, largura e altura.

cubo   pirâmide   cilindro   esfera

SUBTRAÇÃO

Operação matemática associada às ideias de retirar uma quantidade de outra; verificar quanto falta para obter uma quantidade; determinar a diferença de duas quantidades.

Operação que relaciona dois números a um resultado chamado **diferença**.

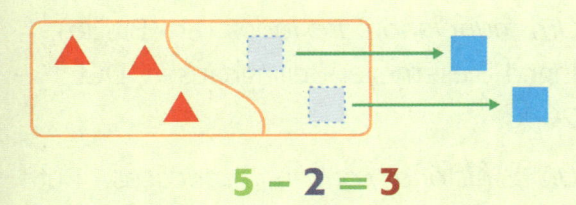

5 − 2 = 3

Essa subtração tem **diferença 3**.

TANGRAM

Antigo jogo de origem chinesa formado por sete peças que permitem compor diferentes figuras.

Tangram tradicional

Variante de tangram com forma circular composto por 12 peças

Tangram circular

VOLUME

Espaço ocupado por um corpo.

Esta pilha de cubinhos ocupa espaço. O volume dessa pilha é de 12 unidades.

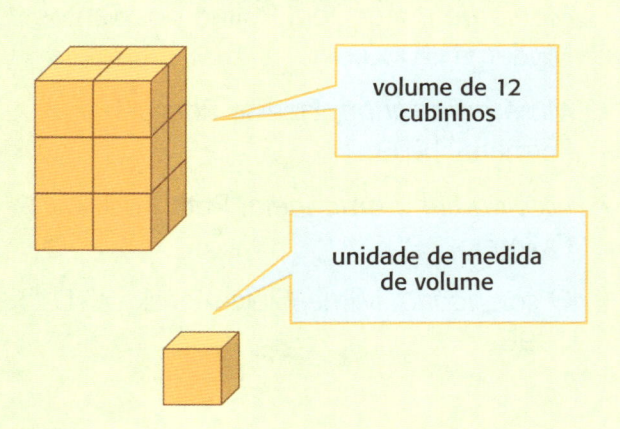

volume de 12 cubinhos

unidade de medida de volume

INDICAÇÃO DE LEITURAS COMPLEMENTARES

- *12 menus para pequenos chefs*, Corinne Albaut, Companhia Editora Nacional, 2005.
- *A última gota*, J. L. Diego, Scipione, 2004.
- *A Zeropeia*, Herbert de Souza, Salamandra, 1999.
- *Atividades e jogos com triângulos*, Marion Smoothey, Scipione, 1997.
- *Cada ponto aumenta um conto*, Ciça Fittipaldi, Ed. do Brasil, 1886.
- *Como se fosse dinheiro*, Ruth Rocha, FTD, 1995.
- *Contos de 1 minuto*, Elena G. Aubert, Girassol, 2004.
- *De hora em hora...*, Ruth Rocha, Quinteto, 1998.
- *Do tamanho certinho*, Cláudio Cuellar, Paulinas, 1990.
- *Fruta no pé:* o que é, o que é?, Maria Lúcia Godoy, Lê, 1995.
- *Mania de trocar*, Joel Rufino dos Santos, Moderna, 2000.
- *Maré amarelinha*, Denise Rochael, Formato, 1999.
- *Nicolau tinha uma ideia*, Ruth Rocha, Quinteto, 1995.
- *O calendário*, Mirna Gleich Pinsky, FTD, 1996.
- *O galo que acordava o dia*, Flávio Ferraz Lima, Lê, 1986.
- *O homem que amava caixas*, Stephen Michael King, Brinque-Book, 1997.
- *O mundo do trabalho*: fotos de Pierre Verger, Raul Lody (Org.), Companhia Editora Nacional, 2005.
- *O mundo mágico dos números*, Jung Sun Hye, Callis, 2008.
- *O tesouro do pirata Pão-duro*, Atilio Bari, Scipione, 2001.
- *Os problemas da família Gorgonzola*: desafios matemáticos, Eva Furnari, Global, 2001.
- *Partir é repartir?*, Fátima de L. C. Jacob, Ed. do Brasil, 1998.
- *Por entre altos e baixos*, Maria José de Serra, Lê, 1992.
- *Tique-taque*: o tempo não pára, James Dunbar, Ática, 2000.
- *Toma lá, dá cá*, Flávia Muniz, Moderna, 1992.
- *Um mundinho para todos* (em Braille), Ingrid Biesemeyer Bellinghausen, DCL, 2008.
- *Uma história com mil macacos*, Ruth Rocha, Ática, 2000.

REFERÊNCIAS BIBLIOGRÁFICAS

BORIN, J. *Jogo e resolução de problemas:* uma estratégia para as aulas de matemática. São Paulo: Caem/IME-USP, 1997.

CARDOSO, V. C. *Materiais didáticos para as quatro operações*. São Paulo: Caem/IME-USP, 1997.

CARRAHER, T. N. *Aprender pensando*. Petrópolis: Vozes, 1998.

COLL, C. et al. *Os conteúdos na reforma:* ensino e aprendizagem de conceitos, procedimentos e atitudes. Porto Alegre: Artmed, 2000.

D'AMBROSIO, U. *Educação matemática:* da teoria à prática. 10. ed. Campinas: Papirus, 1996.

DANYLUK, O. S. *Alfabetização matemática:* as primeiras manifestações da escrita infantil. 2. ed. Porto Alegre: Sulina, Passo Fundo: Ediupf, 2002.

FAINGUELERNT, E. K. *Educação matemática:* representação e construção em geometria. Porto Alegre: Artmed, 1999.

FAYOL, M. *A criança e o número:* da contagem à resolução de problemas. Porto Alegre: Artmed, 1996.

FERREIRA, M. K. L. (Org.) *Ideias matemáticas em povos culturalmente distintos*. São Paulo: Global, 2002.

FRANCHI, A. et al. *Educação matemática:* uma introdução. São Paulo: Educ, 1999.

IFRAH, G. *História universal dos algarismos.* Rio de Janeiro: Nova Fronteira, 1997. T. 1.

KAMII, C.; JOSEPH, L. L. *Crianças pequenas continuam reinventando a aritmética – séries iniciais:* implicações da teoria de Piaget. 2. ed. Porto Alegre: Artmed, 2005.

KISHIMOTO, T. M. (Org.). *Jogo, brinquedo, brincadeira e a educação*. 3. ed. São Paulo: Cortez, 1999.

LORENZATO, S. *Educação infantil e percepção matemática.* Campinas: Autores Associados, 2006.

LORENZATO, S. *Para aprender matemática.* Campinas: Autores Associados, 2006.

MACEDO, L. *4 cores, senha e dominó*. São Paulo: Casa do Psicólogo, 1997.

MACEDO, L.; PETTY, A. L. S.; PASSOS, N. C. *Aprender com jogos e situações-problema*. Porto Alegre: Artmed, 2000.

MACHADO, N. J. *Matemática e língua materna:* análise de uma impregnação mútua. 5. ed. São Paulo: Cortez, 2001.

PARRA, C.; SAIZ, I. (Orgs.) *Didática da matemática:* reflexões psicopedagógicas. Porto Alegre: Artmed, 1996.

PIRES, C. M. C.; CURI, E.; CAMPOS, T. M. M. *Espaço e forma*. São Paulo: Proem, 2001.

RABITTI, G. *À procura da dimensão perdida:* uma escola de infância de Reggio Emilia. Porto Alegre: Artmed, 1999.

SMOLE, K. C. S.; CÂNDIDO, P. T.; STANCANELLI, R. *Matemática e literatura infantil.* 4. ed. Belo Horizonte: Lê, 1995.

SMOLE, K. C. S.; DINIZ, M. I. *Ler, escrever e resolver problemas:* habilidades básicas para aprender matemática. Porto Alegre: Artmed, 2001.

SOUZA, E. R. et all. *A matemática das sete peças do tangram*. 2. ed. São Paulo: Caem/IME-USP, 1997.

MATERIAL COMPLEMENTAR

MALHA QUADRICULADA

MALHA QUADRICULADA

MALHA QUADRICULADA DE PONTOS

MALHA QUADRICULADA DE PONTOS

MALHA TRIANGULAR

MALHA TRIANGULAR

MALHA TRIANGULAR DE PONTOS

MALHA TRIANGULAR DE PONTOS

MALHA GEOMÉTRICA

MALHA GEOMÉTRICA

PAPEL DOBRADURA

PAPEL DOBRADURA

PAPEL DOBRADURA

PAPEL DOBRADURA

TANGRAM

TANGRAM COM A FORMA DE CÍRCULO

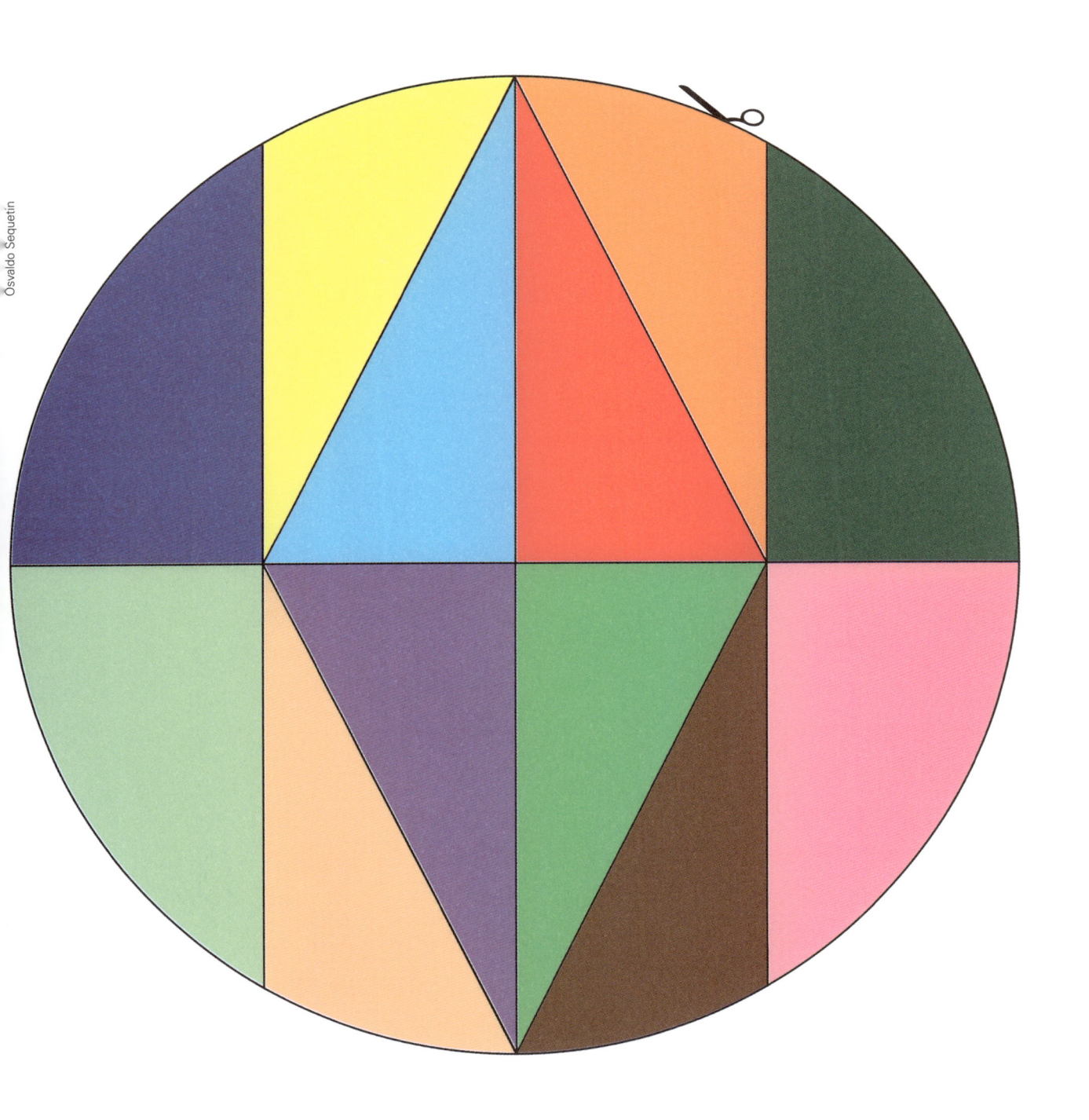

TANGRAM COM A FORMA DE OVO

BARRINHAS CUISENAIRE
"NÚMEROS EM COR"

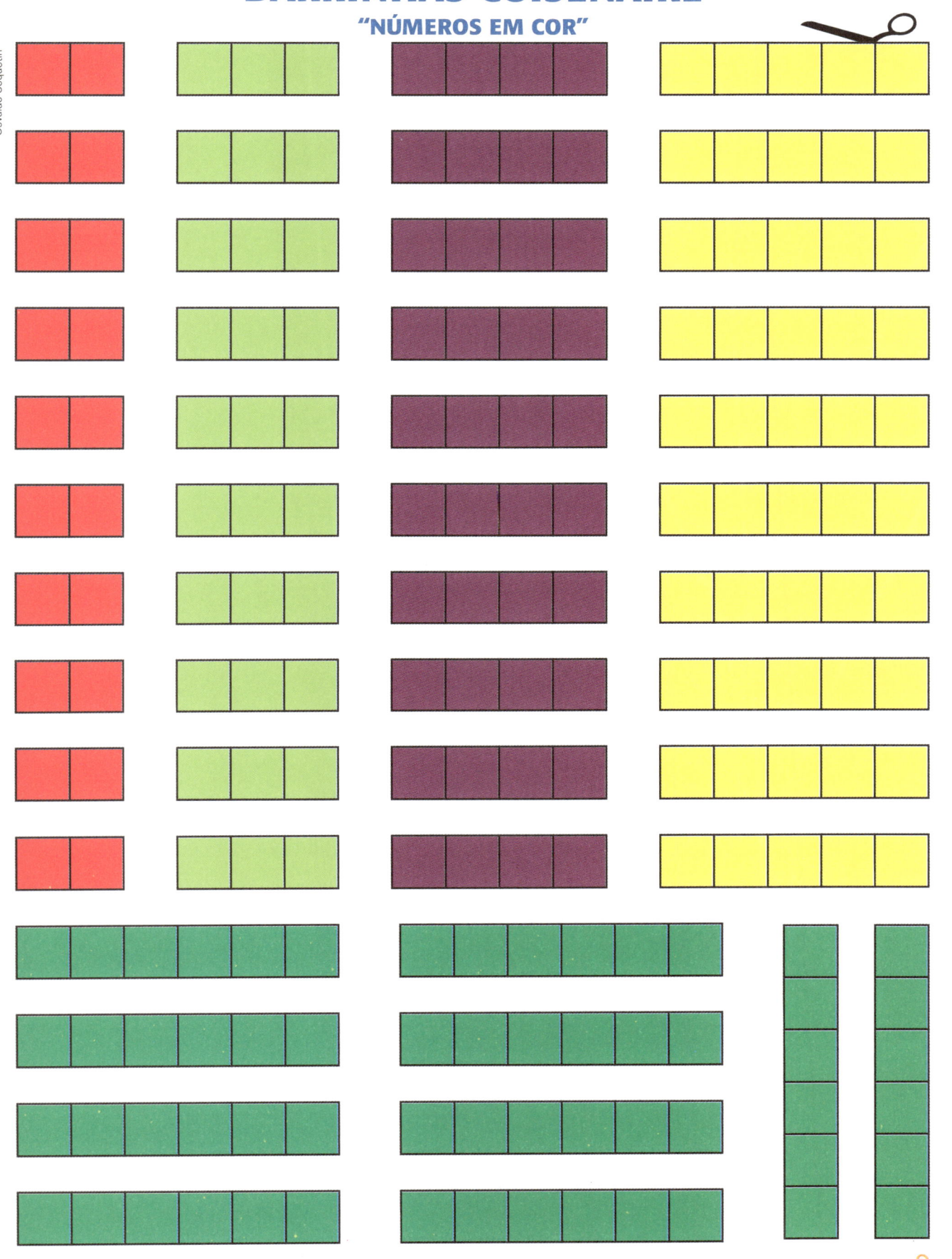

BARRINHAS CUISENAIRE
"NÚMEROS EM COR"

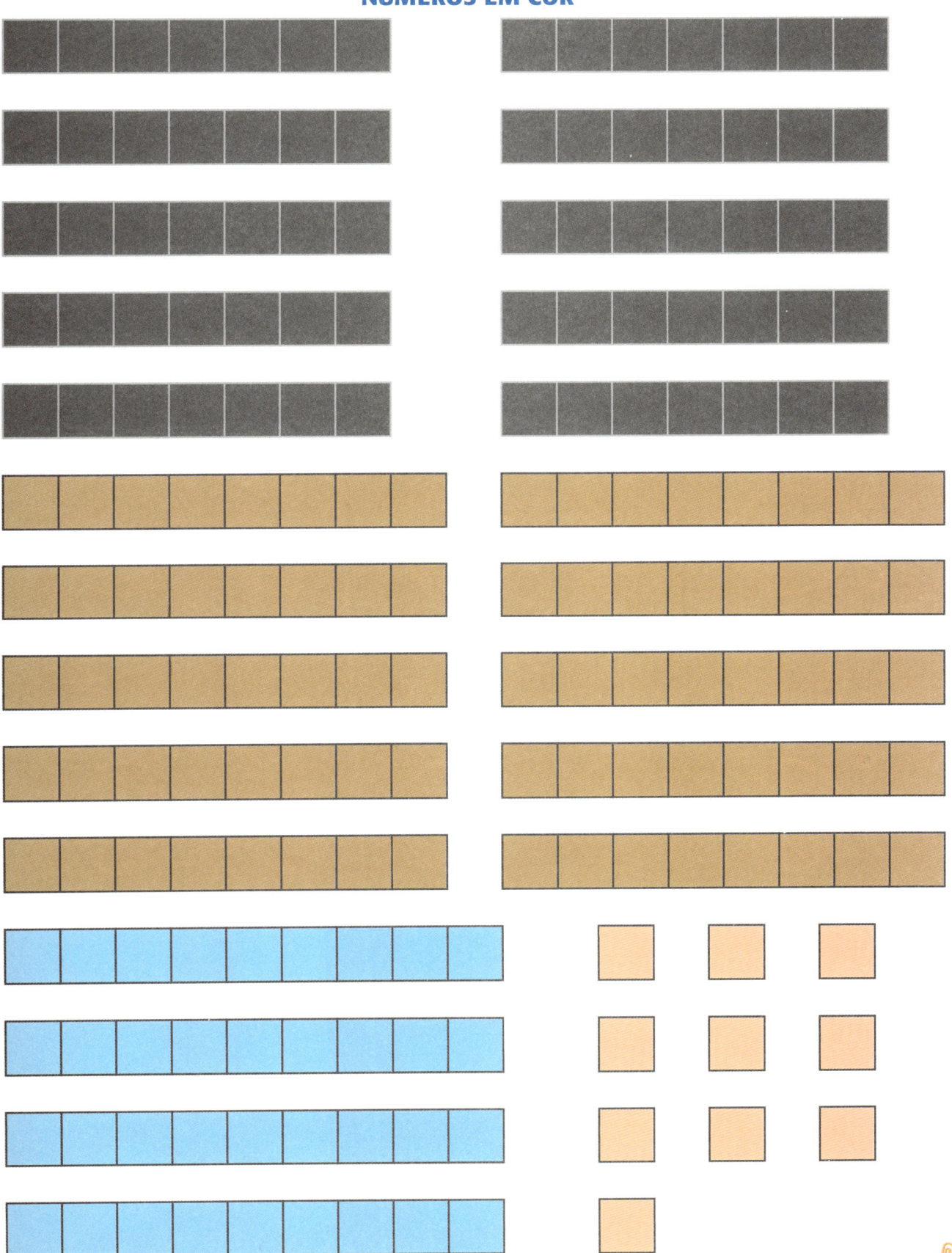

BARRINHAS CUISENAIRE
"NÚMEROS EM COR"

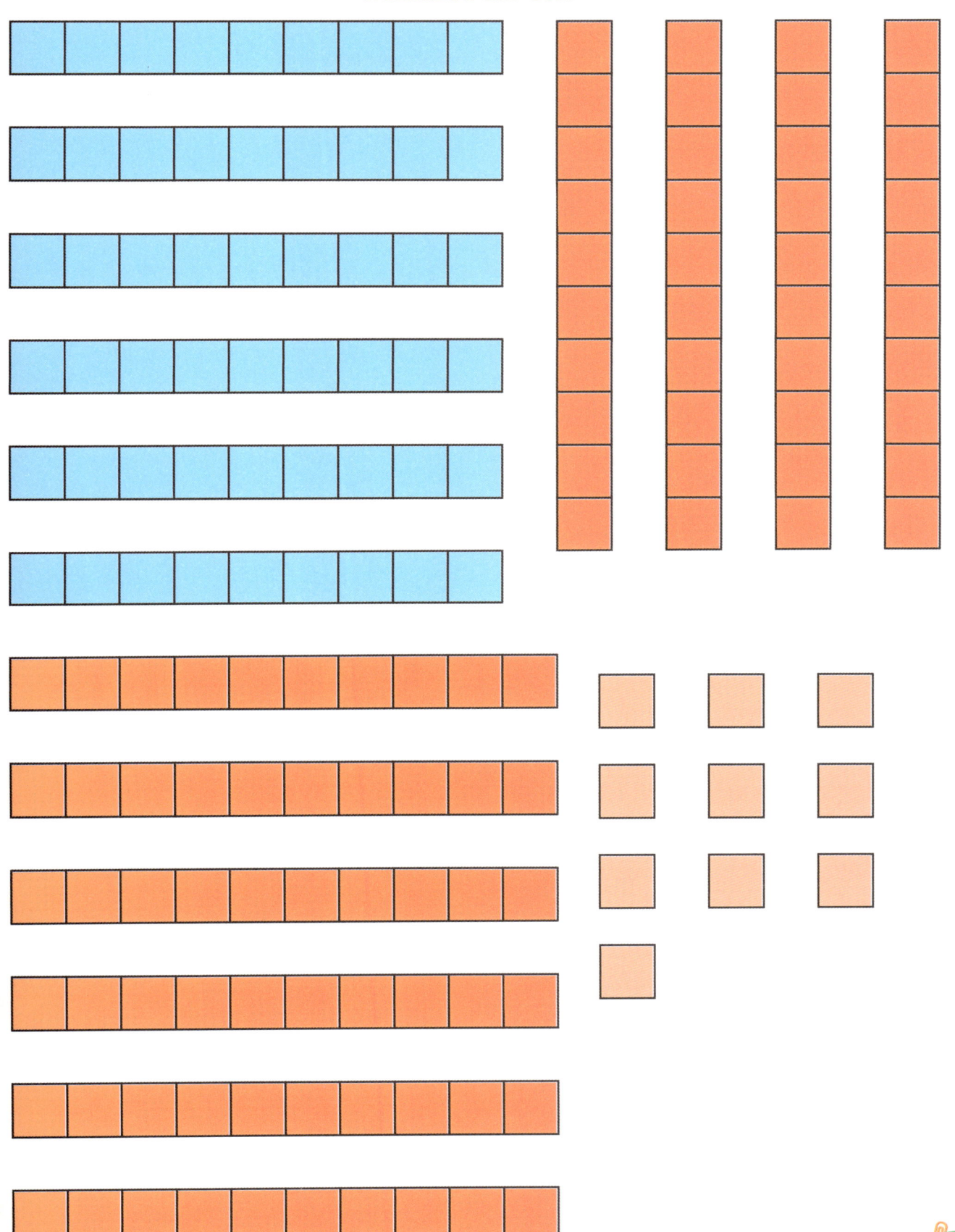

187

MATERIAL DOURADO

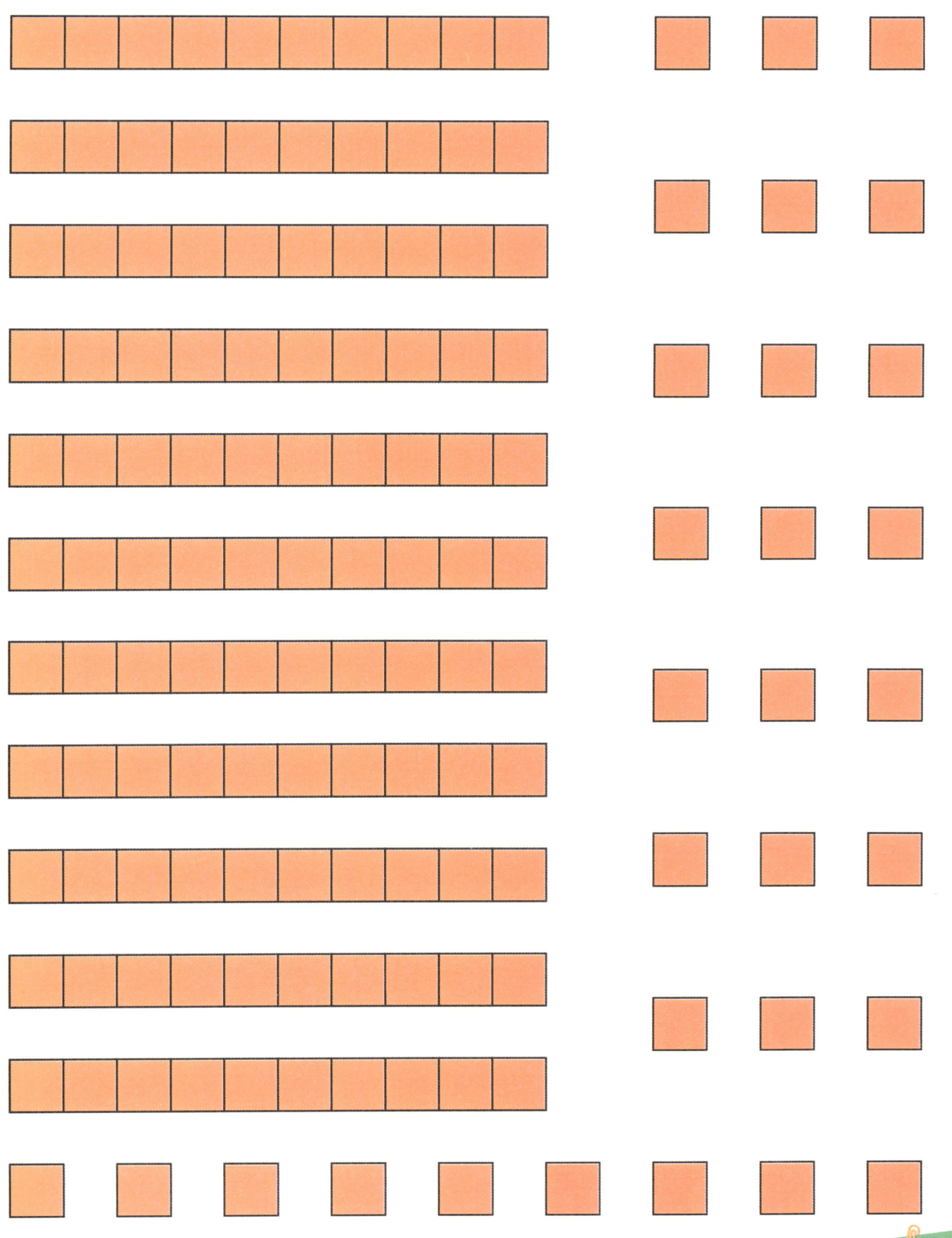

MATERIAL DOURADO

MOLDE DO CUBO

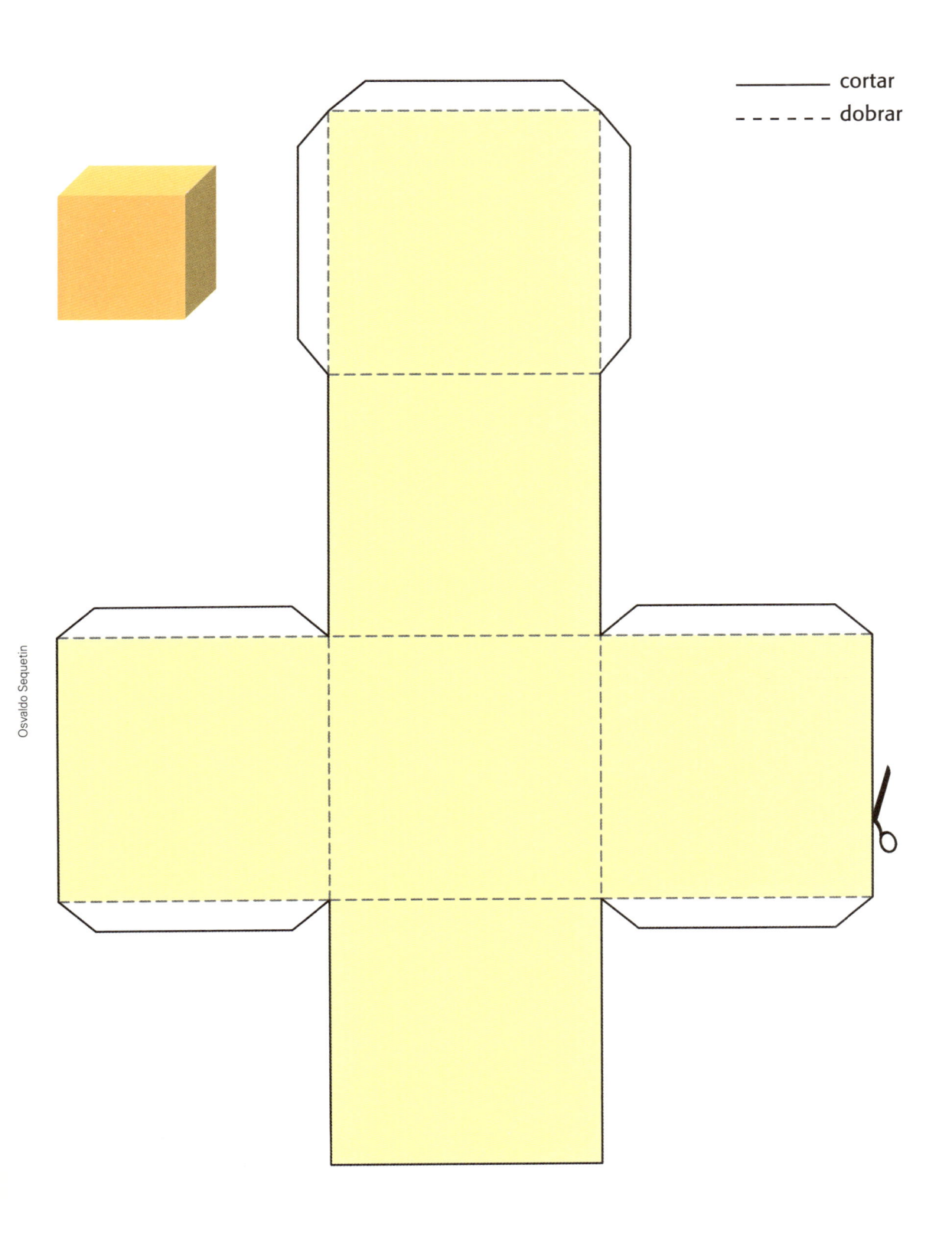

——— cortar
– – – – dobrar

MOLDE DO BLOCO RETANGULAR

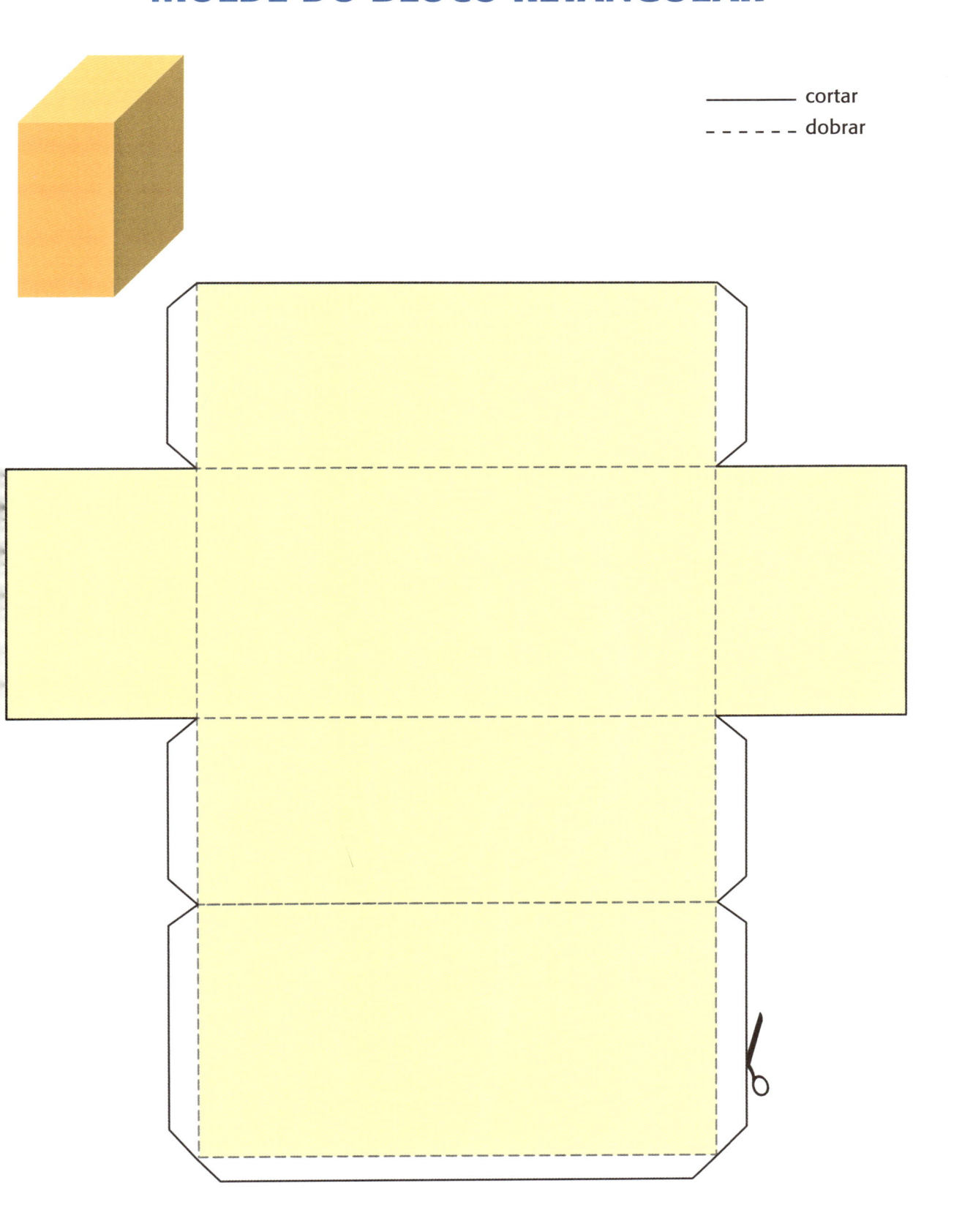

cortar
dobrar

196

MOLDE DA PIRÂMIDE

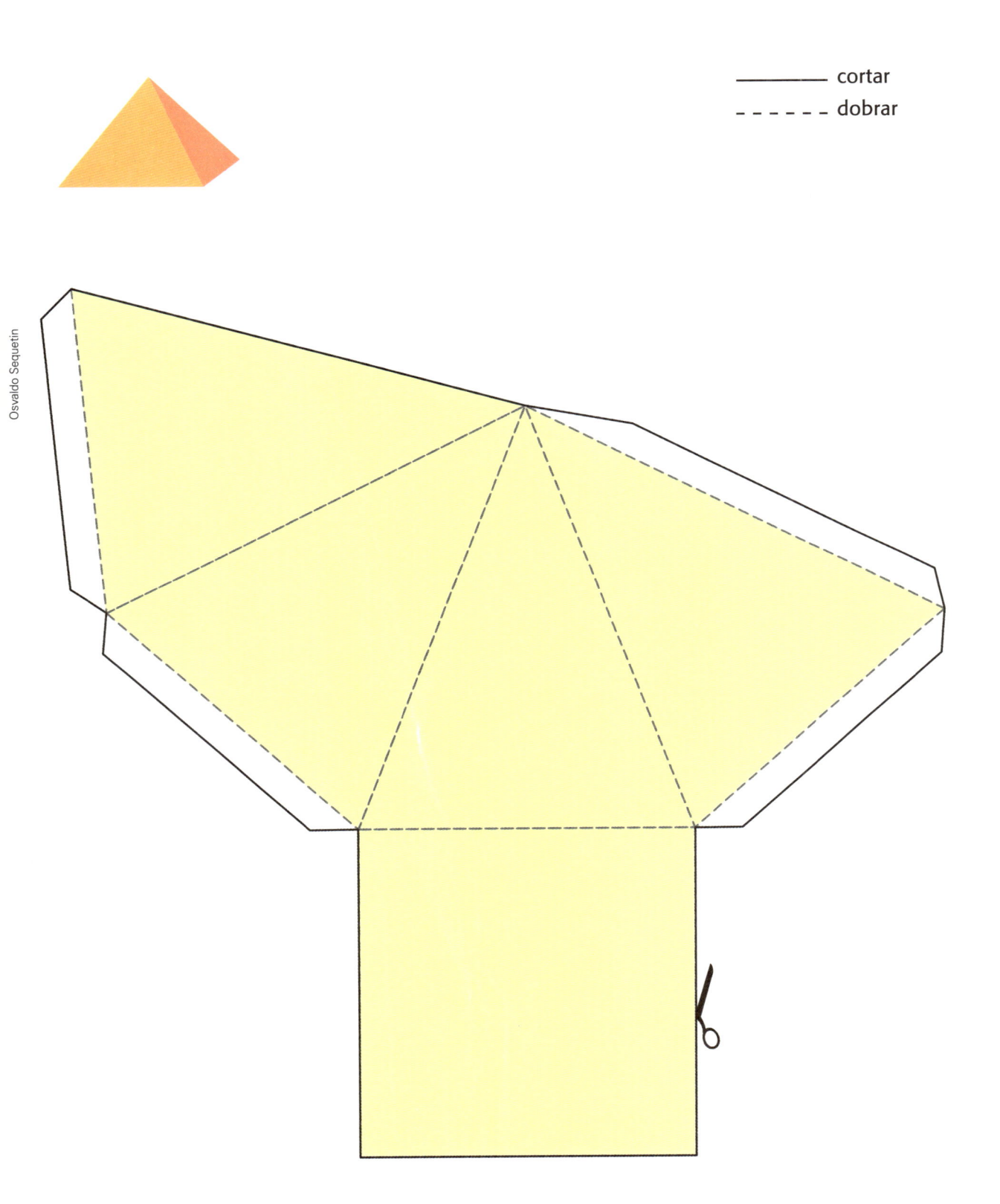

——— cortar
- - - - - dobrar

NOSSO DINHEIRO

199

200

NOSSO DINHEIRO

201

NOSSO DINHEIRO

203

204

MANDALAS

206

FITA MÉTRICA

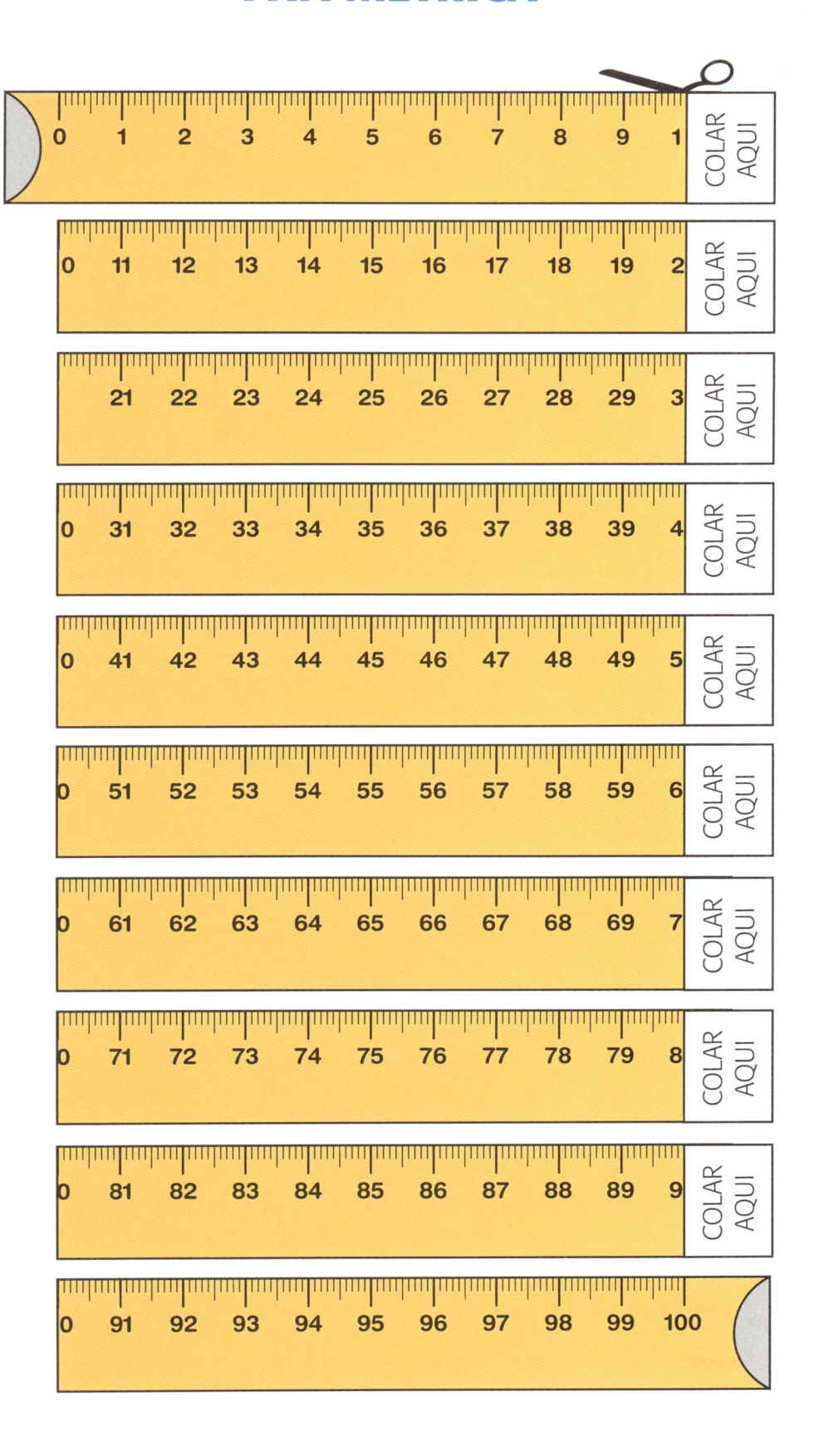

0 1 2 3 4 5 6 7 8 9 1 | COLAR AQUI

0 11 12 13 14 15 16 17 18 19 2 | COLAR AQUI

21 22 23 24 25 26 27 28 29 3 | COLAR AQUI

0 31 32 33 34 35 36 37 38 39 4 | COLAR AQUI

0 41 42 43 44 45 46 47 48 49 5 | COLAR AQUI

0 51 52 53 54 55 56 57 58 59 6 | COLAR AQUI

0 61 62 63 64 65 66 67 68 69 7 | COLAR AQUI

0 71 72 73 74 75 76 77 78 79 8 | COLAR AQUI

0 81 82 83 84 85 86 87 88 89 9 | COLAR AQUI

0 91 92 93 94 95 96 97 98 99 100